D'india
950

Stephanie Alexander
& Maggie Beer

SAVEURS DE TOSCANE

Stephanie Alexander
& Maggie Beer

SAVEURS DE TOSCANE

Photographies de
SIMON GRIFFITHS

KÖNEMANN

Nos plus chaleureux remerciements à Tony,
qui a su créer des environnements toujours nouveaux
et superbes dans lesquels nous avons vécu et travaillé.
Et à Elena et Peter qui, avec Tony,
ont fait de nos stages de cuisine une aventure mémorable.

REMERCIEMENTS

Nous tenons à remercier toutes les personnes qui ont permis à nos stages de voir le jour : Elena Bonnici, Peter Lortz et Tony Phillips, merveilleux de bonne volonté, pour leur aide inestimable ; Ichiko Noonan, qui a sillonné l'Ombrie et la Toscane pour trouver la propriété convenant à notre projet ; Ann Parronchi, qui a tout organisé sur le terrain, nous a emmenées dans ce fabuleux magasin appelé Metro et nous a prêté marmites et casseroles ; Diana Ninchen qui, avec Ann, nous a guidées sur les marchés locaux ; Paolo de Marchi, qui a fait trois fois le chemin pour nous apporter sa connaissance du Chianti, de ses vins et de son caractère ; Chris Butler, qui a présidé aux dégustations d'huile d'olive ; Peter James, de la maison Negociants, à Adelaïde, qui s'est occupé de nos merveilleux vins des antipodes ; Alex Belson, de la maison Antinori, dont nous avons éminemment apprécié le domaine vinicole, les vins et l'hospitalité ; Anna Rosa Mignone Vasconetto, qui nous a loué la villa (dénichée dans le catalogue d'une agence de Melbourne, Cottages & Castles), s'est inquiétée de la façon dont nous l'avons réorganisée, mais a adoré le résultat, et sa famille qui en occupait l'autre moitié ; la famille Bischi, qui nous a autorisés à visiter deux fois sa superbe ferme ; Sue Graham, de l'agence Leggett World Travel, qui a organisé les réservations pour nos stagiaires ; et Colin Beer, le meilleur logisticien de tous les temps.

Nous remercions également Simon Griffiths pour ses photographies si inspirées ; Caroline Pizzey qui, comme de coutume, a fait son travail éditorial en grande gastronome qu'elle est ; Beth McKinlay, pour sa magnifique conception « à la toscane » ; et, tout particulièrement, notre éditeur et amie, Julie Gibbs, pour son enthousiasme et son amitié dans cette nouvelle aventure.

BIBLIOGRAPHIE

ANDERSON, Burton, *Pleasures of the Italian Table*, Harmondsworth, Penguin Books, 1994.
BEEVOR, Kinta, *A Tuscan Childhood*, Harmondsworth, Viking, 1993.
CARLUCCIO, Antonio, *A Passion for Mushrooms*, Londres, Pavilion, 1990.
CARLUCCIO, Antonio, *An Invitation to Italian Cooking*, Londres, Pavilion, 1992.
DAVID, Élizabeth, *Italian Food*, Londres, Barrie & Jenkins, 1987.
FIELD, Carol, *The Italian Baker*, New York, Harper & Row, 1985.
Florence and Tuscany (*Eyewitness Travel Guides*), Londres, Dorling Kindersley, 1995.
FRESON, Robert, *Savouring Italy*, Londres, Pavilion Books, 1992.
GRAY, Patience, *Honey from a Weed*, Londres, Prospect Books, 1986.
GRAY, Rose et ROGERS, Ruth, *The River Cafe Cookbook*, Londres, Ebury Press, 1995.
GRAY, Rose et ROGERS, Ruth, *The River Cafe Cookbook Two*, Londres, Ebury Press, 1997.
HAZAN, Marcella, *The Second Classic Italian Cookbook*, Londres, Macmillan, 1983.
HELLENAA, Robert, *The Sixteen Pleasures*, Londres, Sceptre, 1994.
LASDUN, James, *Walking and Eating in Tuscany and Umbria*, Harmondsworth, Penguin Books, 1997.
MAYES, Frances, *Under the Tuscan Sun*, New York, Broadway Books, 1997.
RODEN, Claudia, *The Food of Italy*, Londres, Chatto & Windus, 1989.
SIMETTI, Mary Taylor, *Pomp and Sustenance*, New York, Knopf, 1989.
SPENDER, Matthew, *Within Tuscany*, Harmondsworth, Penguin Books, 1992.
TARUSCHIO, Ann et TARUSCHIO, Franco, *Bruschetta, Crostoni and Crostini*, Londres, Pavilion, 1995.
TARUSCHIO, Ann et TARUSCHIO, Franco, *Leaves from the Walnut Tree*, Londres, Pavilion, 1993.

VILLA
DE CORSANO
ET
LES RÈGIONS
ENVIRONNANTES
Firenze
(Florence)
CHIANTI
Greve (en Chianti)
Vers LIVOURNE
et le Golfe de Gênes
Tavernelle
Panzano
San Gimignano
Sienne
LE CRETE
VILLA DI CORSANO
M. Oliveto Maggiore
Buonconvento
Vers ROME
Montalcino
S. ANTIMO
N

Sommaire

L'oliveraie

La ferme

Le vignoble

Le banquet

Sur la route de Toscane

CI-DESSUS La route menant à la villa.

PAGE CI-CONTRE Revêtues de notre tablier de stage, nous sommes prêtes à accueillir nos premiers élèves.

EN 1995, NOUS AVONS PASSÉ DES VACANCES EN OMBRIE avec des parents et des amis. Un après-midi, tandis que nous paressions dans des hamacs, subjuguées par l'espace sans fin (et après un déjeuner mémorable de pain, de tomates et de rosé), nous nous sommes prises à rêver de revenir en Italie pour une période plus longue. Et pourquoi ne pas organiser un stage de cuisine ? Nous étions certaines que d'autres Australiens seraient enchantés comme nous à l'idée de se familiariser avec la richesse culinaire et culturelle, mais aussi avec la beauté absolue de ce pays extraordinaire. L'idée avait germé.
Après de nombreux fax et grâce à de précieux « complices » sur place, en Italie, nous avons trouvé une villa nichée au milieu des vignobles et des champs, au sud de Sienne. Ni l'une ni l'autre n'avions vu la Villa di Corsano avant et c'est avec une certaine inquiétude que nous y sommes arrivées, début septembre 1997, une semaine avant le début du premier stage. Nous étions si loin de chez nous et le succès de cette aventure dépendait de tant de facteurs !

Ce fut une expérience exceptionnelle. Et nous ne doutons pas que cette aventure fut aussi inoubliable pour chacun des trente-six élèves qui suivirent nos trois stages. Et ce n'est pas seulement parce que nous avons cuisiné ensemble, chaque jour, de merveilleux plats dégustés le plus souvent à l'extérieur, sous un soleil superbe… la Villa di Corsano était d'une telle beauté !

Bâtiment de couleur ocre posé sur une colline dominant Sienne, la villa était protégée par une allée d'arbres d'âge vénérable et entourée d'un jardin ceint de haies de laurier, de pins parasols et de cyprès. Des géraniums rouges tombaient en cascade de pots en terre cuite dans la cour intérieure, des oliveraies et des vignes recouvraient les pentes alentour et un jardin d'herbes aromatiques, planté pour nous par notre hôtesse, Anna Rosa Mignone Vasconetto, longeait la piscine. Jardins et piscine étaient abrités par une haie de laurier d'au moins trois mètres de hauteur, que nous élaguions pour alimenter l'énorme cheminée de la cuisine.

La villa regorgeait de trésors, petits et grands. Certaines parties du bâtiment datent du XVIe siècle et ont connu de nombreuses modifications au fil des siècles. Quelques pièces avaient un simple crucifix pour décoration, tandis que d'autres étaient ornées d'exubérantes fresques du XIXe siècle et du début du XXe : chérubins voltigeant parmi les nuages, douces collines et cyprès aperçus à travers un treillis peint, les sept Vertus côtoyant des anges, tissus rayés magnifiquement drapés et nobles personnages saluant une famille royale.

CI-DESSUS L'entrée de la villa, ancien hangar à carrosses, a été transformée en une charmante chambre donnant directement sur le jardin. Les fenêtres sont discrètement habillées d'un voilage orné d'une broderie à jours.

PAGE CI-CONTRE Cette salle à manger spacieuse et accueillante, avec ses dalles de terre cuite patinées, sa gigantesque cheminée et ses poutres sombres, est devenue le centre de notre aventure toscane.

DOUBLE PAGE SUIVANTE Notre première vision de la Villa di Corsano : haies taillées, pins parasols, murs ocre et persiennes ouvertes pour laisser entrer le soleil.

Le sol des principales pièces de réception était couvert de dalles en terre cuite inégales et usées, patinées par plus de cent ans d'allées et venues. Il nous a fallu quelque temps pour nous habituer à ce sol glissant, si délicieux sous les pieds nus. Là où il n'y avait pas de dalles, les lames de parquet présentaient la même charmante patine.

Le mobilier traditionnel était agrémenté çà et là de détails précieux : carafes, pots, assiettes, chaises. Les fenêtres à persiennes ouvraient sur des jardins et des cours et, au loin, sur la ville de Sienne et les oliveraies. Certaines fenêtres étaient habillées d'étroits rideaux de coton blanc agrémentés d'une broderie à jours. Les escaliers étaient en pierre.

À notre arrivée, nous avons découvert une immense cave aux arcades soutenues par des piliers. Anna Rosa nous apprit que la villa était construite sur des ruines étrusques et que la cave était d'origine : elle avait donc quelque mille ans. Fraîche, propre et vide, elle avait pour seul occupant une chauve-souris. C'était l'endroit parfait pour nos caisses de vin.

Elena Bonnici, Peter Lortz et Tony Phillips, équipe la plus merveilleuse, travailleuse et talentueuse dont nous pouvions rêver, nous ont aidées à aménager la villa avant l'arrivée des élèves et nous ont prêté main-forte durant le séjour. Réfrigérateurs congelant leur contenu, lavage quotidien d'un nombre ahurissant de serviettes, ingrédients peu courants à dénicher, réservations de trains, avions et voitures, et atermoiements du boucher : tout cela fut traité avec le plus grand sang-froid, dans la joie et la bonne humeur. Leur connaissance de la langue et leur talent en matière de décoration et de gastronomie furent inestimables.

Les cours avaient lieu à la fois dans la cuisine principale et dans son annexe, la cour ensoleillée. Vers 12 h 30, presque tous les jours, nous offrions aux élèves un petit verre de *spumante* ou de *moscato* d'Asti tandis que nous mettions la dernière touche au repas. Les cours étaient ponctués par les visites de Chris Butler, qui nous initiait aux bienfaits de l'huile d'olive, et de Paolo de Marchi, le vigneron du domaine Isole e Olena, qui nous faisait déguster ses vins. Nous passions nos soirées dans Sienne ou à faire des projets d'aventure pour le prochain après-midi libre. Nous explorions les exploitations vinicoles et les villes médiévales escarpées du Chianti, passions des heures à nous imprégner d'art à la Collegiata de San Gimignano et au Museo Civico, et découvrions des restaurants isolés servant des plats fabuleux. Nous avons visité deux fois une ferme fonctionnant en réelle autarcie (tout, du *prosciutto* à la *ricotta*), assisté aux vêpres de l'abbaye Sant'Antimo, fondée au XIIe siècle, et arpenté cent fois les petites rues de Sienne, inchangée depuis son apogée, au XIVe siècle, hormis quelques voitures de sport colorées, un peu incongrues dans ce site.

Nos plus belles expériences furent sans doute nos incursions hebdomadaires dans le haut lieu des produits frais de Florence, le marché San Lorenzo. Impressionnées par la qualité des produits, dès notre première visite, nous avons révisé notre conception de la notion de « produit de saison ». Les fruits et les légumes étaient si frais que nous les cuisinions sans attendre : indispensable avec des ingrédients d'une telle fraîcheur ! Cela signifiait aussi aller au marché sans idée préconçue : sans maturité, pas de produit. Et quant à la qualité, courgettes, tomates (de toutes formes), artichauts et autres n'auraient pu être plus beaux. Notre projet de faire nos emplettes chaque semaine à Florence se révéla bientôt irréalisable et nous nous contentâmes d'aller régulièrement à Sienne, plus proche, ou de nous réapprovisionner en bas de la route, dans notre *alimentari* local.

→ *page 16*

Vieilles pierres

patinés par le temps…

ET BOIS DOUCEMENT

TOUT N'EST QUE PURE BEAUTÉ.

CI-DESSUS Préparation d'une seiche

CI-DESSOUS Il y avait trois escaliers de pierre, magnifiques mais durs sous les pieds (Peter a usé deux paires de patins pendant les trois stages).

PAGE CI-CONTRE Le salon, la pièce la plus élégante de la maison. Les compositions florales de Tony reflétaient l'exubérance des fresques.

Ne pas savoir à l'avance ce qui nous attendait chaque semaine au marché fut porteur de leçon : acheter les produits de saison oblige à une grande souplesse. Maintes fois, nous avons dû remplacer tel ingrédient par tel autre, ou modifier complètement le plat prévu, ou créer de toutes pièces un nouveau plat parce qu'un ingrédient était introuvable ou qu'un autre, fort intéressant, se présentait à nous. C'est ainsi que les Toscans qui nous entouraient faisaient leurs courses et c'est l'approche que tout un chacun devrait adopter chez soi.

Nos élèves cuisinaient *pasta*, *risotto* et bouillon et apprenaient à connaître de nouveaux ingrédients. Nous avons préparé des cardons et des artichauts farcis, du *cavolo nero*, des oignons braisés et des soupes au pain, acheté des truffes blanches et quantité de poissons, réemployé les croûtes de *parmigiano-reggiano*, farci des fleurs de courgette, ramassé des branches de laurier pour alimenter notre cheminée de quatre mètres de largeur, dans laquelle nous faisions griller toutes sortes d'aliments, de la *polenta* aux pigeons. Ce barbecue d'un autre siècle nous a ouvert maintes perspectives : nous avons fait griller dans l'âtre des courgettes rondes vert pâle coupées en deux et badigeonnées d'huile d'olive, des tranches de potiron, d'énormes *bistecche alla fiorentina* (côtes de bœuf d'un kilogramme), des poivrons rouges, du poulpe et de la seiche. Les aliments ainsi grillés, nos plats favoris, incarnaient pour nous le summum de la cuisine toscane : fraîche, toute simple et délicieuse.

Nous achetions, cuisinions, mangions et, en même temps, discutions. Nous tenions à nous « adapter aux circonstances », c'est-à-dire employer ce que nous avions sous la main. Et, avant tout, nous étions d'accord pour ne jamais faire de compromis sur la qualité.

Les cours de cuisine allaient bon train. Au bout du troisième et dernier stage, nous étions tous épuisés mais complètement euphoriques sur ce que nous avions partagé. Loin de nous poser en expertes des traditions italiennes, nous nous étions comportées en cuisinières éprises de bonne chère et respectueuses de notre environnement afin d'aider les autres à profiter de chaque repas avec le maximum de plaisir. Et nous sommes fort satisfaites d'avoir aidé nos trente-six élèves à envisager différemment les ingrédients de tous les jours.

Nous espérons que ce livre de cuisine encouragera nos lecteurs à se débarrasser des idées préconçues, comme celle de suivre une recette à la lettre et, dans la mesure du possible, à ne jamais transiger sur la qualité des produits. Nous espérons aussi les amener à aimer autant que nous la cuisine, les gens et la beauté de la Toscane.

Comment utiliser ce livre

Cet ouvrage réunit sous forme de chapitres aux menus « libres » les recettes que nous avons préparées dans nos stages. La cuisine toscane ne connaît aucune règle stricte quant à ce qu'il faut servir avec quoi. Et les proportions indiquées conviennent pour un nombre variable de personnes : par exemple, les poivrons farcis, page 68, sont pour 6 en plat principal et pour 12 s'ils font partie d'un assortiment d'*antipasti*. Bien des plats toscans peuvent se servir ainsi, ce qui incite tout cuisinier ou cuisinière à la plus grande souplesse.

La mesure d'une tasse correspond à 250 ml.

La haie de laurier soulignait l'élégante structure des jardins et servait à alimenter notre cheminée : le laurier conférait un merveilleux parfum à nos grillades. Ce mode de cuisson, notre favori, préservait au mieux tout ce que nous aimons dans la cuisine toscane : les produits les meilleurs et les plus frais, cuisinés très simplement.

La haie de laurier

PIADINI

CI-DESSUS ET PAGE CI-CONTRE
Nous avons essayé de faire cuire ces fins disques de pâte au four, sur des briques chaudes, pour remplacer la *testa*. Mais nous avons obtenu de bien meilleurs résultats en les faisant cuire sur un gril très chaud, quelques minutes de chaque côté, jusqu'à ce qu'ils soient croustillants et présentent de petites bulles brûlées. Nous les avons tenus au chaud dans une serviette pliée placée dans un panier jusqu'à ce que tout soit prêt.

Ces galettes de pain sont différentes de la *focaccia* et du pain employé pour la *bruschetta* car elles ne contiennent aucun agent levant. La bonne cuisson d'une *piadina* se fait sur une plaque en terre cuite, la *testa*. À défaut de vraie *testa*, une coupelle en terre cuite trempée dans de l'eau, habituellement destinée à recevoir un pot de fleurs, fait aussi bien l'affaire qu'une dalle en terre cuite non vernie. Ni l'une ni l'autre n'ont besoin d'être huilées, mais doivent être chauffées à four bas ou sur une faible flamme avant d'être utilisées comme plaque de cuisson : cela permet de les assécher pour éviter qu'elles ne se craquellent pendant la cuisson.

La pâte à *piadina* est semblable à celle des *chapatis* indiens. Les cuisiniers indiens emploient souvent une moitié de farine complète pour une moitié de farine normale et servent les *chapatis* avec des currys. Je trouve toujours fascinant de découvrir des techniques similaires dans des cultures nettement différentes.

À la villa, nous avons fréquemment fait des *piadini* car ils accompagnent à la perfection les *antipasti* (surtout les fromages frais).

500 g de farine
30 g de beurre
sel
eau tiède

Creuser une fontaine dans la farine. Faire fondre le beurre et verser dans la fontaine avec suffisamment d'eau tiède légèrement salée (environ 1 tasse) pour former une pâte. Bien pétrir pendant 10 minutes, puis envelopper la pâte dans un linge et surmonter d'une jatte retournée. Laisser reposer 30 minutes.

Former environ 20 boulettes de la taille d'un petit œuf et abaisser chacune en un disque de 5 mm d'épaisseur et 10 à 12 cm de diamètre. Faire chauffer une *testa*, une poêle à fond épais ou une poêle à griller sur un feu de bois ou un fourneau. Faire cuire chaque disque 3 minutes, puis retourner et faire cuire l'autre face quelques minutes. Des bulles légèrement brûlées vont se former à la surface, comme pour un *chapati* indien. Tenir les *piadini* au chaud dans un linge ou de l'papier d'aluminium à mesure qu'ils sont cuits. Les *piadini* sont meilleurs servis très chauds.

POUR 20 *PIADINI*

SALSA AGRESTO

STEPHANIE Cette sauce aux amandes de Maggie est merveilleuse avec toutes sortes de grillades. J'en ai même ajouté un jour à un reste de *panzanella* (voir page 181) pour farcir des artichauts et des cardons avant de les cuire quelques heures à four doux jusqu'à ce qu'ils soient fondants. Une autre fois, toujours pour ne rien gaspiller, j'en ai incorporé à un *risotto* de Maggie avec des restes de poulet et d'aubergines. Le *risotto* était délicieux et très esthétique avec ses taches orange et noires.

Préparer la *salsa agresto* 1/2 heure avant de servir car elle s'oxyde rapidement.

1 tasse d'amandes
1 tasse de noix
2 gousses d'ail
2 tasses 3/4 de persil plat
1/2 tasse de basilic
1 cuil. à café 1/2 de sel de mer
6 tours de moulin de poivre noir
3/4 tasse d'huile d'olive vierge extra
3/4 tasse de verjus

Préchauffer le four à 220 °C. Faire griller les amandes et les noix séparément sur une plaque, environ 5 minutes, en secouant la plaque pour qu'elles ne brûlent pas. Frotter les noix dans un linge propre pour ôter la membrane amère si elles ne sont pas de saison. Laisser refroidir.

Passer au mixeur les amandes, les noix, l'ail, les herbes et les condiments avec un peu d'huile d'olive pour obtenir une fine pâte. Ajouter le reste de l'huile d'olive et le verjus. La consistance doit être celle d'une pâte à tartiner. Si nécessaire, allonger d'un peu de verjus.

POUR 2 TASSES

CI-DESSOUS L'excellente *bistecca alla fiorentina*, accompagnée ici de *radicchio* et d'ail grillés (voir pages 107 et 111). Ces steaks pesant 1 kg sont cuits entiers avant d'être découpés en parts. Les Toscans les assaisonnent de sel, de poivre et d'huile d'olive. Nous leur avons ajouté du beurre d'anchois : aucun d'entre nous n'avait jamais autant savouré un steak.

PAGE CI-CONTRE La cheminée de la salle à manger, large de 4 mètres, est vite devenue le centre de notre aventure toscane. Tony, notre « maître-grilleur », perfectionna sa technique en alimentant le feu avec des branches de laurier provenant des haies ceignant la villa. Simon, notre photographe, a pris ce cliché de derrière le feu : on pouvait entrer dans la cheminée par une petite porte que, autrefois, la famille laissait ouverte en hiver pour chauffer la pièce contiguë.

CHAMPIGNONS GRILLÉS

PAGE CI-CONTRE À la ferme proche de notre villa, nous nous procurions figues, feuilles de figue et feuilles de vigne à volonté. Fattoria di Corsano signifie « ferme de Corsano » : notre villa faisait toujours partie de cette ferme produisant du vin, de l'huile d'olive et quantité de figues.

Du fait d'un automne extrêmement sec, les champignons sauvages sont apparus tardivement. Les premiers *porcini* (cèpes) trouvés sur les marchés provenaient en réalité de France. Lors de notre second stage, nous avons pu nous procurer des *porcini* de Sicile et ce n'est qu'au troisième que nous avons acheté des *porcini* de Toscane. Lors d'une promenade, Anna Rosa nous a montré ses endroits préférés pour cueillir les *porcini*, mais aussi les *ovoli* à chapeau orange, moins connus mais très prisés.

Avec cette recette, les plus simples champignons de culture prendront une saveur tout à fait spéciale.

champignons charnus
huile d'olive
poivre noir fraîchement moulu
gousses d'ail
sel de mer
jus de citron
persil plat fraîchement haché

Badigeonner généreusement les champignons d'huile d'olive. Poivrer et ajouter quelques très fines lamelles d'ail sur chacun. Placer les champignons chapeau en bas sur un feu de bois modéré et faire cuire 5 minutes. Retourner et faire cuire l'autre côté (lamelles) 1 ou 2 minutes. Transférer sur une assiette préchauffée, saupoudrer de sel de mer, napper d'huile d'olive vierge extra et ajouter quelques gouttes de jus de citron et du persil.

FIGUES EN FEUILLE DE VIGNE

Choisir des feuilles de vigne très fraîches et jeunes. Pour les assouplir, il peut être nécessaire de les blanchir une minute dans de l'eau ou du verjus en ébullition. Le verjus rehausse le parfum des feuilles, ce qui est particulièrement bon lorsque l'on emploie une farce délicate comme des figues ou du fromage de chèvre. De la même façon, si les figues sont un peu vertes et fermes, les faire mijoter 5 minutes dans du verjus, puis les égoutter avant de les envelopper d'une feuille de vigne huilée. Fixer chaque papillote à l'aide de deux piques à cocktail et faire griller sur un feu de bois bien chaud, en retournant une fois, jusqu'à ce que les feuilles soient croustillantes et les figues tendres.

Les feuilles de vigne grillées font un lit idéal pour toutes sortes de grillades. Il suffit de les badigeonner légèrement d'huile d'olive, puis de les placer sur une grille au-dessus du feu ou dans une poêle à griller. Retourner les feuilles après 1 minute de cuisson et les ôter lorsqu'elles sont croustillantes.

CAILLES GRILLÉES DANS UN BAIN DE RAISIN

Dès notre première semaine à la Villa di Corsano, nous avons fait griller des cailles farcies de raisins et de feuilles de sauge et enveloppées dans des feuilles de vigne. Ce fut un succès. Une autre fois, nous avons choisi d'omettre les feuilles et avons fait cuire les cailles dans un « bain » d'huile, de verjus, de poivre et de raisin. Les feuilles nous ont servi, sur le conseil du producteur, à envelopper des disques plats de *tomino del boscaiolo* (un fromage de vache), que nous avons placés quelques minutes seulement sur le feu mourant. Nous les avons servis avec un assortiment d'*antipasti*. L'odeur du feu de bois était merveilleuse, renforcée par celle des feuilles de laurier sèches que nous ajoutions dans le feu.

Si vous servez les figues grillées de la page 24 comme entrée en matière avant ce plat, réservez le verjus dans lequel elles auront trempé pour arroser les cailles pendant la cuisson.

CI-DESSUS Nous adorions modifier nos plats en fonction des ingrédients disponibles. Un jour, nous avons fait cuire à l'eau et épluché 1 kg de châtaignes et les avons mélangées avec un reste de cailles, de l'huile d'olive, des raisins épépinés et des dés de *pancetta* sautés. Nous avons accompagné ce plat de figues en feuille de vigne : un régal ! En bons vivants, nous avons mangé avec nos doigts.

PAGE CI-CONTRE Cailles grillées dans un bain de raisin (cette page), *salsa agresto* (page 23) et courgettes rondes grillées.

12 cailles
huile à l'ail (voir page 211)
sel
poivre noir fraîchement moulu
huile d'olive vierge extra
verjus
raisins noirs coupés en deux et épépinés
quartiers de citron

À l'aide de ciseaux de cuisine, découper la colonne vertébrale de chaque caille et sortir la cage thoracique avec les doigts. Badigeonner chaque oiseau d'huile à l'ail, assaisonner et faire cuire au feu de bois en retournant fréquemment (environ 8 minutes de cuisson selon la chaleur du feu). Préparer une vinaigrette avec de l'huile d'olive, du verjus, des raisins et du poivre dans une grande jatte. Transférer les cailles cuites dans ce bain et laisser macérer en retournant une ou deux fois. Servir chaud avec des quartiers de citron et un *risotto* à la sauge croustillante (voir page 28).

POUR 6 À 12 PERSONNES

Risotto à la sauge croustillante

MAGGIE Au printemps précédant notre arrivée, Anna Rosa avait planté pour nous un jardin d'herbes aromatiques à la Villa di Corsano. La sauge se portait bien malgré la grande sécheresse de cette année-là, mais nous devions faire attention à ne pas dégarnir nos plants. La sauge que nous achetions chez notre marchand de légumes préféré, à Sienne, n'était jamais vendue en bouquet mais à la poignée.

Les Italiens adorent cette herbe aromatique et notre séjour en Toscane nous l'a fait considérer d'un regard neuf. Les Toscans font revenir les feuilles dans du beurre fondu ou du beurre noisette, puis les font sauter dans de l'huile d'olive. Parfois, ils les plongent dans une pâte à crêpes légère (contenant éventuellement des filets d'anchois) et les font frire. Dans les deux cas, l'arôme est fabuleux et le goût plein de sève. On a du mal à s'en passer par la suite.

1 tasse de feuilles de sauge
250 g de beurre
1 gros oignon coupé en petits dés
2 tasses de riz arborio
3/4 de tasse de vin blanc sec
1,5 l de brodo de poule très chaud (voir page 210)
sel
poivre noir fraîchement moulu
1/2 tasse de parmigiano-reggiano fraîchement râpé

Préchauffer le four à 200 °C. Disposer les feuilles de sauge sur une lèchefrite et placer une noisette de beurre sur chacune. Cuire au four 5 à 10 minutes, jusqu'à ce que les feuilles soient croustillantes (si la cuisson est trop courte, la sauge aura un goût de savon). Réserver.

Faire fondre la moitié du beurre restant dans une poêle à fond épais ou une sauteuse, ajouter l'oignon et faire revenir sur feu moyen jusqu'à ce qu'il soit transparent. Augmenter la chaleur, ajouter le riz et bien mélanger pour l'enrober de beurre. Lorsque le riz devient luisant, verser le vin. Lorsque celui-ci est évaporé, incorporer une louche de bouillon brûlant et remuer jusqu'à absorption du bouillon. Incorporer une autre louche de bouillon et poursuivre l'opération jusqu'à ce que le riz soit *al dente* et crémeux (soit environ 20 minutes). Ôter la poêle du feu, assaisonner et ajouter le *parmigiano-reggiano* et la sauge croustillante.

POUR 6 À 12 PERSONNES

Beurre noisette

Au lieu de faire griller la sauge au four, on peut mettre les feuilles dans une poêle très chaude contenant un peu de beurre froid. Remuer sur feu moyen jusqu'à ce que le beurre commence à mousser et prenne une couleur noisette et que les feuilles soient croustillantes.

SALADE VERTE AUX NOIX ET AU VERJUS

STEPHANIE Les noms des ingrédients prêtent souvent à confusion. Ce que l'on vend en Italie sous le nom de *scarola*, une salade verte et ronde aux feuilles jaune pâle et vert pâle et à grosses côtes, ressemble beaucoup à la romaine que j'achète chez mon épicier grec. Or, la *romana* italienne est bien la salade romaine que nous connaissons. J'ai beaucoup fait rire un ami italien, au marché San Lorenzo de Florence, lorsque j'ai demandé au marchand deux *romani* (Romains) au lieu de deux *romane* (romaines).

6 poignées de feuilles de salade
noix fraîchement décortiquées
1 gousse d'ail

VINAIGRETTE
2 cuil. à soupe de verjus
2 cuil. à café de jus de citron
sel de mer
1/2 tasse d'huile de noix
poivre noir fraîchement moulu

Préchauffer le four à 220 °C. Laver et essorer les feuilles de salade et réserver. Faire griller les noix environ 5 minutes, puis les frotter dans un linge pour ôter la membrane amère, si elles ne sont pas de saison. Frotter d'ail l'intérieur d'un saladier.

Pour préparer la vinaigrette, battre le verjus et le jus de citron avec un peu de sel de mer. Incorporer lentement l'huile de noix en fouettant jusqu'à ce qu'elle soit bien mélangée, puis ajouter le poivre. Mélanger les feuilles de salade et les noix de façon à les enrober de vinaigrette. On peut aussi ajouter une poignée de raisins blancs frais.

CRÈME GLACÉE AU CITRON

CI-DESSOUS L'entrée de notre village. Lorsque l'on est à l'étranger, il faut se familiariser avec le code de la route local et les panneaux de signalisation. Nous avons vite appris à nous garer à l'italienne en déplaçant barrières, bicyclettes et autres pour nous faire de la place. Nous avons beaucoup ri lorsque Aldo, le mari de notre amie Ann, nous a raconté qu'il ne respectait plus les feux rouges à partir de dix heures du soir !

PAGE CI-CONTRE Tony a trouvé au marché de magnifiques mûres sauvages. Une semaine, les framboises étaient rouges et, la semaine suivante, dorées.

Nous avons servi cette crème au citron dans des tasses à café et l'avons recouverte de mûres sauvages et de framboises trouvées à Sienne par Peter.

4 biscuits à la cuiller émiettés
1/3 tasse de vin doux ou de marsala
4 œufs, jaunes et blancs séparés
100 g de sucre en poudre
3 zestes de citron râpés
500 ml de crème fraîche épaisse (45 % M.G.)
zeste de citron confit (voir page 69)
sucre glace

Arroser les biscuits émiettés avec le vin. Fouetter les jaunes d'œufs et le sucre en poudre jusqu'à obtention d'un mélange jaune pâle et épais, puis incorporer le zeste de citron. Dans une autre jatte, monter les blancs d'œufs en neige ferme et incorporer avec précaution au mélange aux jaunes d'œufs. Fouetter la crème et incorporer au mélange précédent avec les biscuits émiettés.

Verser le mélange dans 10 moules de 100 ml et mettre au congélateur pendant 1 heure (il ne doit pas durcir complètement). Décorer avec du zeste de citron confit haché et saupoudrer de sucre glace. Servir avec des baies rouges ou des biscuits au citron (voir page 32).

POUR 10 MOULES

BISCUITS AU CITRON

CI-DESSOUS L'« annexe » : cette cour était notre endroit de prédilection, non seulement pour les cours, mais aussi pour boire un verre, discuter ou organiser notre emploi du temps. C'était souvent là que nous nous répartissions le travail du jour, certains stagiaires choisissant les tâches d'extérieur pour rester au soleil.

PAGE CI-CONTRE Ces citrons emballés dans du papier étaient merveilleux : très parfumés et juteux, leur bel emballage les rendait irrésistibles pour le chaland.

Anna Rosa nous a expliqué que l'une des petites « maisons » en pierre qui nous servait de vestiaire près de la piscine était une ancienne orangerie. On y rentrait les pots de citronniers et d'orangers dès les premières gelées pour les ressortir au printemps. Ce fut la réponse à une question que nous nous étions posée : pourquoi n'y avait-il pas de citronniers dans les jardins ?

50 g d'amandes mondées
50 g de zeste de citron confit (voir page 69) haché
1/2 zeste de citron finement râpé
40 g de farine
50 g de beurre
50 g de sucre en poudre
1 cuil. à soupe de lait

GLAÇAGE
50 g de sucre glace
jus d'orange ou de citron

Hacher finement les amandes et le zeste confit dans un robot de cuisine. Ajouter le reste des ingrédients et mélanger pour obtenir une pâte souple. Former avec cette pâte des rouleaux de 3 cm de diamètre et envelopper de film alimentaire. Réfrigérer 1 heure. Préchauffer le four à 160 °C. Découper la pâte en fines tranches et disposer celles-ci sur une plaque allant au four et tapissée de papier sulfurisé, en les séparant bien. Faire dorer 10 à 15 minutes. Laisser refroidir sur une grille.

Pour le glaçage, mélanger le sucre glace avec suffisamment de jus d'orange ou de citron pour obtenir la consistance d'une pâte à tartiner. Glacer les biscuits une fois qu'ils ont refroidi et laisser sécher.

PERNIC.

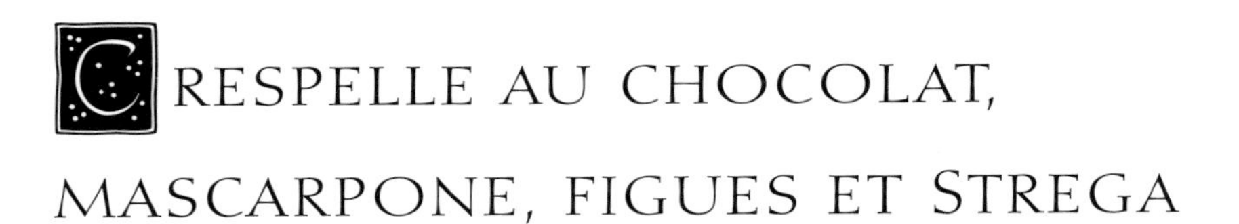

Crespelle au chocolat, mascarpone, figues et Strega

PAGE CI-CONTRE L'esthétique semble prédominer en Italie : tout est si magnifiquement présenté. Et l'on trouve un si grand nombre de friandises traditionnelles. Notre amie Diana nous a offert ces délicieux *biscotti*.

DOUBLE PAGE SUIVANTE Tony plante le décor (et dresse la table) pour un déjeuner sous les ormes. C'est là que nous déjeunions tous les jours mais, cette fois, nous avions sorti les chaises anciennes de la salle à manger.

MAGGIE ❧ Ce dessert, qui peut aussi accompagner le thé de l'après-midi, est basé sur la recette d'un ami, le chef James Fien. Nous l'avons rapidement adopté à la Villa di Corsano. Un jour, Peter en a inventé une variante : il a fait cuire les figues dans du *vin santo*, ce délicieux vin de dessert toscan, au lieu de les arroser de *Strega*. C'était sublime !

10 g de beurre
75 ml de lait
4 œufs
2 cuil. à café de Strega
140 g de farine
60 g de cacao
25 g de sucre
1 cuil. à café de sel
GARNITURE
100 g de figues sèches
verjus
2 cuil. à café de Strega
200 g de mascarpone

Faire fondre le beurre sur feu doux dans une casserole et laisser colorer sans brûler. Laisser refroidir un peu. Mélanger le beurre fondu, le lait, les œufs et la *Strega* dans une jatte. Tamiser les ingrédients secs et les incorporer au mélange au beurre pour obtenir une pâte à crêpes. Le cas échéant, ajouter du lait pour que la pâte ait la consistance d'une crème fine. Laisser reposer 1 heure.

Pendant ce temps de repos, commencer la garniture. Mettre les figues à tremper dans du verjus pendant 20 minutes environ. Égoutter avec le plus grand soin, puis hacher et arroser de la *Strega*.

Tamiser la pâte dans une passoire à mailles fines. Faire chauffer une poêle à crêpes et badigeonner avec un morceau de papier beurré. Ôter la poêle du feu, verser un peu de pâte et remuer la poêle pour répartir la pâte. Remettre la poêle sur le feu. Après une minute de cuisson, soulever la crêpe à l'aide d'une spatule et la retourner pour cuire l'autre face. Transférer la crêpe sur une assiette. Répéter l'opération jusqu'à épuisement de la pâte. Laisser les crêpes refroidir et couper le pourtour pour l'égaliser.

Incorporer doucement les figues au *mascarpone*. Ne pas trop remuer pour que le *mascarpone* ne se défasse pas. À l'aide d'une poche à douille ou d'une cuillère, placer un peu de garniture au centre de chaque crêpe. Replier les bords et rouler les crêpes. Réfrigérer légèrement, saupoudrer de sucre glace et servir.

POUR 8 PORTIONS

Antonio Mattei
Prato
BISCOTTIFICIO
DAL
1858
“Mattonella”

ZUPPA PAVESE ET PAPILLOTES DE LAITUE

CI-DESSUS Anna Rosa Mignone Vasconetto, qui nous a loué la villa. Elle nous a avoué que, avant nous, personne n'avait vécu dans cette maison comme nous l'avions fait, nous en emparant jusque dans les moindres recoins.

La *zuppa pavese* est l'essence même de la simplicité mais nécessite quelques explications. Le récit qui suit est extrait du livre de Robert Freson, *Savouring Italy*:

...zuppa pavese... *fut inventée pour le roi de France François Ier après sa défaite de 1525. Sur la route le conduisant de Pavie à la prison, ses gardiens s'arrêtèrent à la ferme d'un pauvre paysan et lui demandèrent à manger, expliquant qu'ils escortaient un roi. Pour faire honneur à un tel hôte, la femme du paysan apporta tous les aliments qu'elle possédait. Elle fit sauter du pain dans du beurre, à la façon d'un* crostino, *réchauffa du bouillon, y fit pocher un œuf, poudra la soupe de fromage* grana padana *râpé et mit ce plat devant le roi.*

Quelques points à observer: l'assiette à soupe doit être brûlante et le bouillon en ébullition. On peut arroser l'œuf de bouillon jusqu'à ce que le blanc se fige autour du jaune. Servir le pain frit pour accompagner ou, avant, tartiné d'un apprêt salé.

Pour une soupe plus sophistiquée, on ajoute des légumes verts sautés ou une chiffonnade de laitue préalablement braisée dans un peu de beurre. On peut également casser l'œuf dans le fromage, mélanger et verser le tout dans le bouillon brûlant de façon à ce que l'œuf cuise en filaments: ce plat prend alors le nom de *stracciatella alla romana*. Mais, comme nous l'a expliqué Elena, le bouillon ne doit plus frémir une fois que l'œuf et le fromage ont été incorporés: il deviendrait opaque et l'œuf serait trop cuit. Il est également possible de faire pocher quelques papillotes dans une partie du bouillon pour obtenir une entrée plus élaborée: c'est la recette que nous vous proposons ci-dessous. Enfin, la papillote peut être une feuille de chou rapidement blanchie ou, plus délicat encore, une feuille de laitue.

250 g de blanc de poulet sans peau
60 g de beurre
1 oignon rouge finement haché
1 cuil. à soupe de céleri finement haché
1 cuil. à soupe de carotte finement hachée
2 cuil. à soupe de ricotta fraîche
1 cuil. à soupe de persil plat finement haché
sel
poivre noir fraîchement moulu
1 jaune d'œuf
2 cuil. à soupe de parmigiano-reggiano fraîchement râpé
12 ou 18 feuilles de laitue
1 l de brodo (voir page 210)

Couper le poulet en dés. Faire fondre le beurre dans une poêle et faire sauter très rapidement les dés de poulet en plusieurs fournées. Transférer la viande cuite dans une jatte et laisser refroidir avant de hacher finement.

Faire sauter les légumes 2 à 3 minutes dans la même poêle, en remuant, jusqu'à ce qu'ils soient tendres. Ajouter au poulet haché et incorporer le reste des ingrédients, sauf les feuilles de laitue et le *brodo*.

Blanchir les feuilles de laitue en les plongeant rapidement, une par une, dans de l'eau en ébullition. Étaler une feuille sur le plan de travail, placer un peu de farce au centre et rouler après avoir replié les bords sur la farce. Ranger les papillotes dans une casserole, fermeture en dessous, et arroser de *brodo* de façon à les humidifier. Poser une assiette sur la casserole et laisser frémir 20 minutes.

Pour servir, porter le reste du *brodo* à ébullition. Placer 2 ou 3 papillotes dans une assiette à soupe chaude et verser le *brodo* à la louche. Servir du *parmigiano-reggiano* séparément.

POUR 6 PERSONNES

CI-DESSOUS Détail de l'énorme peinture ornant la plus grande chambre de la villa : elle est plus large que l'immense lit au-dessus duquel elle est suspendue. La seule condition pour habiter cette pièce était de fermer les persiennes tous les après-midi afin de protéger cette œuvre du soleil.

Lasagnes d'aubergines

Un soir, après une longue journée dans la cuisine, nous nous sommes retrouvés sur le tard à la piscine, où nous avons dîné tardivement d'une salade et de ces lasagnes d'aubergines absolument délicieuses. Les dernières lueurs du jour passèrent d'une couleur améthyste à un gris tendre, puis au noir complet. Il n'y avait aucune étoile dans le ciel mais, au loin, on apercevait le scintillement des lumières de Sienne.

Les feuilles de lasagnes doivent être coupées à la taille du plat dans lequel elles doivent cuire. N'oubliez pas, en les coupant, qu'elles vont considérablement gonfler pendant la cuisson. Il faut les faire cuire 2 à 3 minutes dans de l'eau salée, par fournées, et les plonger dans une jatte d'eau froide additionnée d'une cuillerée d'huile d'olive : cela les empêche de coller ensemble. Avant de préparer le plat, égoutter les pâtes sur un linge propre et sec, en les espaçant bien.

250 g de pâtes fraîches aux œufs de Maggie (voir page 212)
huile d'olive
2 tasses d'aubergines grillées hachées
parmigiano-reggiano fraîchement râpé

Sauce béchamel
600 ml de lait
60 g de beurre
60 g de farine
sel
poivre blanc
muscade fraîchement râpée

Crème d'ail
5 gousses d'ail non pelées
eau froide
2 tasses de crème
sel
poivre blanc
1 tasse de persil plat grossièrement haché

Préparer la pâte à *pasta* comme indiqué page 213, puis la découper en 4 feuilles aux dimensions d'un plat rectangulaire de 6 cm de profondeur (environ 28 x 20 cm) ou dans un plat ovale.

Pour la sauce béchamel, faire chauffer le lait jusqu'au point d'ébullition et réserver. Faire fondre le beurre dans une autre casserole et incorporer la farine. Faire cuire sur feu modéré, en remuant, jusqu'à obtention d'une pâte onctueuse et dorée. Incorporer petit à petit le lait chaud jusqu'à ce que la sauce épaississe et soit bien homogène. Continuer à remuer jusqu'à ébullition, puis réduire la chaleur au plus bas et faire cuire 5 minutes de plus. Assaisonner à volonté de sel, de poivre blanc et de muscade.

Pour la crème d'ail, mettre l'ail dans une petite casserole et couvrir d'eau froide. Porter lentement à ébullition, puis égoutter. Répéter cette opération deux ou trois fois pour ôter l'amertume de l'ail, puis sortir les gousses de leur peau. Porter lentement l'ail et la crème au point de frémissement dans la casserole rincée, puis ôter du feu. Vérifier que l'ail est bien tendre. À défaut, laisser mijoter 5 minutes de plus dans la crème. Passer le mélange au mixeur pour obtenir une sauce onctueuse, puis incorporer le persil et goûter avant d'assaisonner.

Préchauffer le four à 180 °C. Huiler le plat à gratin et tapisser d'une feuille de pâte. Napper d'un quart de la sauce béchamel, couvrir d'un tiers des aubergines hachées, puis d'un tiers de la crème d'ail. Répéter l'opération avec le reste des feuilles de pâte, des aubergines et des sauces, en terminant par de la béchamel. Saupoudrer les lasagnes de *parmigiano-reggiano* et arroser d'huile. Faire cuire au four environ 30 minutes, jusqu'à ce que les lasagnes soient dorées. Laisser reposer 20 à 30 minutes avant de couper.

POUR 6 PERSONNES

VARIANTE

Nous avons également préparé ces lasagnes en leur ajoutant des restes comme 1 tasse de *pappa al pomodoro* (voir page 66), du potiron cuit ou même des artichauts braisés et hachés. Pour une autre variante, on peut napper la dernière couche de béchamel d'une fine couche de sauce tomate fraîche avant de saupoudrer du fromage râpé.

FRUITS MACÉRÉS DANS DU VIN DOUX

CI-DESSUS À la Fattoria di Corsano, nous cueillions des prunes pour le petit déjeuner et pour ajouter aux pêches et aux nectarines de notre recette de fruits macérés.

PAGE CI-CONTRE Nous faisions aussi macérer des pêches dans du *vin santo*, ce délicieux vin de dessert toscan. Nous avions entendu dire que certains trempaient leurs *biscotti* dans ce vin, mais nous n'avons pas essayé. Paolo de Marchi, le vigneron de Isole et Olena dont on voit l'une des bouteilles sur cette photo, à côté de *biscotti* aux amandes (voir recette ci-contre), était contre cette pratique. « Pourquoi faire une chose pareille à un si beau vin ? » s'interrogeait-il.

Cette « recette », sans être nouvelle, est excellente. Les petites pêches blanches de fin de saison, mûres mais croquantes, sont souvent servies de cette façon. Le lendemain, nous avons fini les fruits macérés au petit déjeuner : pourquoi gaspiller les bonnes choses ?

fruits à noyau (pêches, nectarines, abricots, prunes)
sucre
vin blanc doux ou vin blanc doux additionné d'un peu d'Amaro

Choisir des fruits parfaitements mûrs. Peler les pêches mais pas les nectarines, les abricots et les prunes. Émincer les fruits en lamelles, mettre dans une grande jatte, ôter les noyaux et sucrer généreusement au fur et à mesure. Arroser d'une quantité suffisante de vin doux pour humecter les fruits sans les détremper : ils ne doivent pas baigner dans le liquide. Placer du film alimentaire sur la surface des fruits en les couvrant bien. Laisser macérer au moins 2 heures. Servir avec des *biscotti* aux amandes (voir ci-dessous).

BISCOTTI AUX AMANDES

Ces biscuits ne sont cuits qu'une fois, contrairement aux *biscotti* traditionnels (*biscotti* signifie « cuits deux fois »). Si vous avez employé des abricots ou des prunes dans la recette ci-dessus, hacher les amandes de 2 ou 3 noyaux et ajouter au mélange à *biscotti*.

180 g d'amandes mondées
2 tasses 1/2 de farine
2 cuil. à café de levure chimique
1 cuil. à café de sel
125 g de beurre coupé en dés
1 tasse de sucre
3 œufs légèrement battus
1/4 de tasse de grains de café, finement écrasés ou grossièrement moulus
1 pincée de cannelle en poudre

Préchauffer le four à 180 °C. Faire dorer les amandes environ 5 minutes sur une tôle à four et laisser refroidir. Hacher finement les amandes au mixeur.

Mélanger la farine, la levure et le sel dans une jatte, puis amalgamer avec le beurre. Incorporer le reste des ingrédients. Pétrir la pâte 2 minutes, puis former un rectangle de 1 cm de hauteur et couper en bâtonnets. Faire dorer les *biscotti* 25 minutes sur une plaque à four tapissée de papier sulfurisé. Laisser refroidir sur une grille et conserver dans une boîte hermétique.

POUR 20 *BISCOTTI*

ISOLE e OLENA
VIN SANTO
375ml e
VINO DA TAVOLA DELLA TOSCANA - ITALIA

Quelle énergie, quelle *bella figura* !
À voir les Italiennes marcher

sans hésiter sur les pavés
inégaux, elles paraissent
nées avec des talons hauts.
Le soir, la *passeggiata* offrait
un véritable spectacle :
toute la ville semblait
se promener ou boire un verre
dans l'un des incontournables cafés
de plein air. On sait vivre en Italie !

La grand-place

CROSTINI AU FOIE DE POULET

CI-DESSOUS Peter, Colin, Julie, Tony et Lisa sur le magnifique Il Campo de Sienne. En ce début d'automne, l'endroit était peuplé de Siennois vaquant à leurs affaires et de touristes assis sur les trottoirs de brique ou à la terrasse d'une *trattoria*. C'est là qu'en voulant commander un *gelato*, j'ai bien fait rire le serveur en demandant de la glace au poisson (*pesce*) au lieu de glace à la pêche (*pesca*) !

PAGE CI-CONTRE Très à la mode mais forte aussi d'une qualité hors du temps, la Cantinetta Antinori, établie dans un château du XVe siècle, était notre lieu gastronomique favori au cœur de Florence. Nous y allions souvent pour nous régaler de sa cuisine aussi simple que bonne. Nous avons été surpris par sa recette de *crostini di fegato di pollo* : les foies de poulet sont légèrement cuits dans du vin et du *brodo*, avec des anchois et des câpres, puis réduits en purée, cuits un peu plus et mis à refroidir dans un pot.

Nous avions savouré ce plat très typique au Ristorante La Fattoria, à Tavernelle, auquel on avait ajouté des champignons. À la villa, nous l'avons dégusté dans le jardin tout en admirant le feuillage, les maisons roses, les vignobles et les collines couvertes de cyprès.

Ces *crostini* au foie revenaient souvent dans nos menus. Mais nous étions malhabiles avec le pain local, dont la croûte est très friable et la mie plutôt sèche. Nous nous demandions comment les Toscans parvenaient à confectionner leurs *crostini* avec ce pain. Nos tentatives étaient complètement ratées. Plus tard, nous avons compris que les *crostini* toscans sont plus rustiques d'aspect que les sortes de croûtons que nous préparions.

40 g de beurre
200 g de foies de poulet, nettoyés et coupés en quatre
8 feuilles de sauge finement hachées
1 cuil. à soupe de vinaigre de vin rouge
1 cuil. à soupe de petites câpres
2 cuil. à soupe de persil plat fraîchement haché
8 tranches de gros pain
huile d'olive
1 gousse d'ail

Préchauffer le four à 200 °C. Faire fondre le beurre dans une poêle et faire revenir les foies et la sauge pendant à peine quelques minutes : les foies doivent être rosés à l'intérieur. Ajouter le vinaigre, les câpres et le persil. Augmenter le feu et faire réduire le liquide. Cette opération doit se faire très rapidement pour que les foies restent rosés. Passer le mélange au mixeur ou hacher finement les ingrédients à la main.

Badigeonner d'huile d'olive une face de chaque tranche de pain. Faire dorer sur une plaque allant au four. Frotter d'ail les *crostini* chauds, tartiner du mélange au foie et servir sans attendre.

POUR 8 *CROSTINI*

COR MAGIS
PANDIT
ospedale
AREZZO 58
P

BRUSCHETTA À LA TOMATE

La *bruschetta* à la tomate, hors-d'œuvre d'été le plus répandu en Toscane, ne contient que les tomates les plus mûres et juteuses. Le propriétaire du Ristorante Nello La Taverna, à Sienne, nous a amusés en nous racontant sa visite au chef d'un restaurant de New York. Alors qu'il préparait sa *bruschetta* qui, tout Toscan le sait, est faite de pain, de tomates, de basilic et d'huile d'olive vierge extra, le chef américain lui proposa quelques « améliorations » : un lit de roquette en dessous, un copeau de *parmigiano-reggiano* au-dessus, un peu de vinaigre balsamique et des courgettes grillées en alternance avec les tomates !

tomates mûres
huile d'olive vierge extra
feuilles de basilic déchirées
sel de mer
poivre noir fraîchement moulu
bon vinaigre de vin rouge (facultatif)
bon pain à la mie compacte
1 gousse d'ail

Couper les tomates en dés de 1 cm de côté, puis arroser généreusement d'huile d'olive. Ajouter les feuilles de basilic, du sel et du poivre et laisser mariner 30 minutes. On peut ajouter quelques gouttes de vinaigre (nous ne le faisons pas). Faire griller d'épaisses tranches de pain dans la cheminée ou sur une poêle à griller, puis frotter d'ail le pain grillé. Couvrir de dés de tomates et servir sans attendre.

CI-DESSOUS Prendre un café dans une rue de Florence pendant nos courses était un grand plaisir.

PAGE CI-CONTRE Un soir que nous étions à Sienne, nous nous sommes retrouvés dans un quartier que nous ne connaissions pas. L'importante Porta Romana est creusée dans les remparts ceignant la vieille ville. Il ne faut pas oublier que cette ville sublime était une république indépendante aux XIIIe et XIVe siècles, époque de sa pleine prospérité. Les armoiries des Médicis sont sculptées au-dessus de la porte. Tandis que nous arpentions les rues étroites, pratiquement inchangées depuis les temps médiévaux, nous pouvions voir dans les appartements éclairés de magnifiques plafonds peints, à caissons ou dorés. Nous tentions d'imaginer la luxueuse décoration d'intérieur.

PÂTES AUX PIGNONS DE PIN, RAISINS SECS ET FLEURS DE COURGETTE

En nous inspirant d'un repas pris au Ristorante Nello La Taverna, à Sienne, nous avons fait fondre des fleurs de courgette dans de l'huile d'olive et les avons ajoutées à cette sauce pour pâtes (photographie page ci-contre). Leur saveur et leur texture sont délicieuses, surtout au point d'intersection du calice et des pétales.

On peut remplacer les raisins secs par des raisins de Corinthe que l'on a fait gonfler 1 heure dans du vinaigre.

CI-DESSUS Lorsque l'on voyage, on se pose beaucoup de questions. Où est-ce ? Comment y parvenir ? Et que fait-on quand on est perdu et qu'il n'y a pas un seul panneau ?

PAGE CI-CONTRE En Italie, on mange les pâtes avant le plat principal. En fait, on mange moins de pâtes en Toscane que dans les autres régions du pays. Elles sont souvent remplacées par des soupes au pain ou des soupes épaisses, mais elles demeurent très appréciées. Nous les avons particulièrement aimées avec des fleurs de courgette « fondues ».

1/4 de tasse de raisins secs noirs
verjus
375 g de pâtes fraîches aux œufs de Maggie (voir page 211)
250 g fleurs de courgette coupées en quatre dans la longueur
3/4 de tasse d'huile d'olive vierge extra
1/3 de tasse de pignons de pin grillés
6 anchois hachés
1 tasse de persil plat fraîchement haché
sel
poivre noir fraîchement moulu

Faire tremper les raisins secs dans un peu de verjus pendant 20 minutes, puis égoutter. Pendant ce temps, faire fondre les fleurs de courgette dans un peu d'huile d'olive, à couvert, dans une poêle.

Faire cuire les pâtes comme indiqué. Réchauffer les raisins secs, les pignons de pin et les anchois dans le reste de l'huile d'olive, mélanger le tout avec les pâtes chaudes, les fleurs de courgette, le persil et assaisonner.

POUR 4 À 8 PERSONNES

AUTRES SUGGESTIONS POUR LES PÂTES

Mélanger 1/2 tasse de raisins secs, 1/3 de tasse de chapelure sautée dans du beurre, 1/2 tasse de persil plat fraîchement haché, 2 gousses d'ail finement hachées et 1/4 de tasse d'huile d'olive vierge extra avec les pâtes chaudes. Le cas échéant, ajouter des anchois et des pignons de pin et, ou du fenouil braisé.

Mélanger 1 tasse d'amandes effilées grillées, 2 gousses d'ail finement hachées, 1/4 de tasse d'huile d'olive vierge extra, du sel et du poivre noir fraîchement moulu avec les pâtes. À la dernière minute, ajouter un avocat coupé en épaisses lamelles.

Faire sauter de l'ail haché dans un peu d'huile d'olive, puis ajouter du persil plat, du jus de citron et de la crème. Mélanger cette sauce avec les pâtes chaudes.

PÂTES AUX HERBES, SAUCE AUX TOMATES FRAÎCHES ET À L'OIGNON ROUGE

MAGGIE Au Ristorante Nello La Taverna de Sienne, j'ai pris une fois des pâtes accommodées avec une sauce à la tomate et à l'ail aux bonnes saveurs toutes simples. Les pâtes étaient des *pici* roulés à la main, une spécialité de la région de Sienne : elles sont si grosses qu'elles ressemblent à des vers. Mes talents ne me permettant pas d'obtenir la même chose, j'ai préparé ma propre version en utilisant des pâtes aux herbes confectionnées par mes soins. La saveur de nos pâtes et celle des tomates mûres valaient bien celles du restaurant.

1 kg de tomates olivettes
1 gros oignon rouge haché
1/2 tasse d'huile d'olive vierge extra
2 gousses d'ail finement hachées
1 brin de thym
sel
poivre noir fraîchement moulu
375 g de pâtes fraîches aux œufs de Maggie, avec des herbes (voir page 212)

Ôter le pédoncule et les graines des tomates et couper la chair en quartiers. Faire cuire l'oignon dans l'huile d'olive sur feu modéré jusqu'à ce qu'il soit tendre, puis ajouter l'ail. Lorsque les deux sont légèrement dorés, ajouter les tomates, le thym, du sel et du poivre et mélanger. Faire cuire sur feu vif jusqu'à ce que les tomates soient défaites et le jus sirupeux.

Faire cuire les pâtes comme indiqué et réchauffer doucement la sauce si nécessaire. Napper les pâtes chaudes de la sauce et ne mélanger qu'à table.

POUR 4 À 8 PERSONNES

PAGE CI-CONTRE Les Siennois naissent dans un des dix-sept quartiers appelés collectivement le *contrade*, dont chacun a son propre emblème, ses coutumes, son église et même son musée. Anna Rosa fait partie des Aigles, les onze autres quartiers étant nommés : Escargot, Panthère, Forêt, Tortue, Hibou, Licorne, Coquillage, Bélier, Tour, Chenille, Dragon, Girafe, Hérisson, Louve, Vague et Oie. Pendant les festivals, des drapeaux portant l'emblème des *contrade* sont promenés dans les rues de la ville et suspendus aux murs. Chaque été, dix des *contrade* se livrent à une compétition féroce au cours du Palio, une course de chevaux frénétique se déroulant autour du Campo.

CI-DESSOUS Sauce aux tomates fraîches et à l'oignon rouge nappant ici un plat de pâtes.

CARRÉ DE PORC RÔTI, FENOUIL, ROMARIN ET AIL

CI-DESSUS Nous avons également servi ce carré de porc rôti lentement avec une étuvée de cœurs d'artichaut (voir page 72) et de potiron.

PAGE CI-CONTRE Nous avons tous adoré utiliser la *mezzaluna* (demi-lune) – berceau en français –, ce couteau à deux manches, en forme de bateau, dont l'efficacité est incroyable pour hacher l'ail ou le persil. Il est également bien plus agréable pour les poings et les avant-bras que l'habituel couteau.

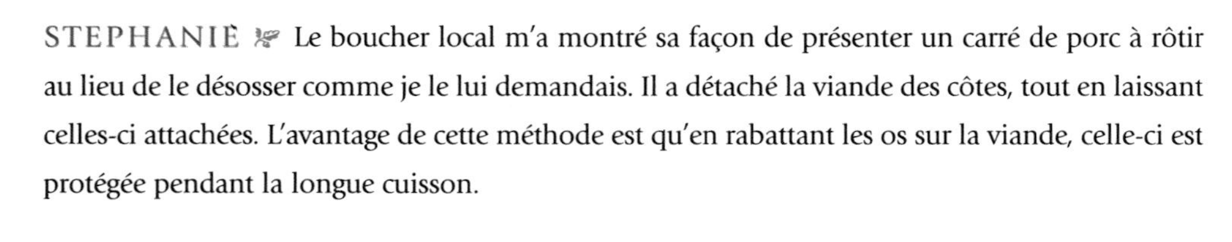

STEPHANIE Le boucher local m'a montré sa façon de présenter un carré de porc à rôtir au lieu de le désosser comme je le lui demandais. Il a détaché la viande des côtes, tout en laissant celles-ci attachées. L'avantage de cette méthode est qu'en rabattant les os sur la viande, celle-ci est protégée pendant la longue cuisson.

1/4 de tasse d'huile d'olive
2 gousses d'ail très finement hachées
2 brins de romarin de 6 cm de longueur finement hachés
1 cuil. à soupe de feuilles de fenouil frais finement hachées
poivre noir fraîchement moulu
4 kg de carré de porc, peau ôtée et viande détachée des os
sel
1/2 tasse de vin blanc sec
1/2 tasse d'eau
12 tronçons de fenouil
12 petits oignons

Préchauffer le four à 180 °C. Dans un bol, mélanger 2 cuil. à soupe d'huile d'olive avec l'ail, le romarin, les feuilles de fenouil et une bonne quantité de poivre. Ouvrir la viande et la frotter de toutes parts avec ce mélange. Réassembler la viande et les os. Frotter la partie grasse avec le reste du mélange et saupoudrer de sel.

Placer le carré dans un plat, puis verser le vin et l'eau. Faire cuire 2 heures en arrosant la viande toutes les 30 minutes et en ajoutant le fenouil et les oignons après 1 heure de cuisson. Verser le jus de cuisson du plat dans une carafe, laisser refroidir 10 minutes, écumer le dessus et jeter la graisse.

Augmenter la température du four à 200 °C et faire cuire la viande et les légumes pendant 1 heure de plus. À ce stade, la viande doit être parfaitement tendre et les légumes cuits. Transférer le carré de porc et les légumes sur un plat de service et tenir au chaud. Verser le jus de cuisson du plat dans une autre carafe, laisser refroidir 10 minutes, écumer le dessus et jeter la graisse. Mélanger les deux jus de cuisson.

Mettre le plat de cuisson sur feu moyen, verser les jus et porter à ébullition. Gratter et remuer vigoureusement pour bien tout mélanger et verser ce jus dans une saucière chaude. Découper la viande en tranches épaisses, arroser du jus et répartir les légumes. Servir avec une étuvée de haricots *cannellini* (voir page 56). Les restes de viande seront délicieux froids.

POUR 12 PERSONNES

ÉTUVÉE DE HARICOTS CANNELLINI FRAIS

CI-DESSOUS Dans l'un des plus vieux quartiers de Sienne, les murs des rues étroites étaient ornés des drapeaux des *contrade*. Nous avons rencontré ces jeunes garçons qui jouaient du tambour et agitaient leur drapeaux, comme pour le Palio.

PAGE CI-CONTRE Dans toute l'Italie, on cuisine une myriade de plats à base de haricots secs ou frais. Mais les *cannellini* frais, aux diverses teintes crème, et les magnifiques *borlotti* rouges et jaune pâle, sont surtout typiques de la Toscane.

MAGGIE Les Italiens surnomment les Toscans *mangiafagioli*, les mangeurs de haricots. Jamais de ma vie je n'avais mangé d'aussi bons haricots que cette étuvée de *cannellini* toute simple dégustée à la Cantinetta Antinori de Florence. C'était une grande assiette de haricots frais cuits à la perfection, aux couleurs bigarrées allant du blanc au jaune crème, en passant par le vert pâle, et accompagnés, en tout et pour tout, de la bouteille d'huile posée sur la table. Mais pas n'importe quelle huile : une huile d'olive vierge extra de toute première qualité, que chaque convive employait à son entière discrétion. Je me suis peut-être servie un peu plus copieusement que d'autres et n'ai ajouté qu'une pointe de sel et de poivre. C'était le paradis ! Avec noblesse et abnégation, j'ai proposé à mon entourage de les goûter. Au même repas, Peter avait choisi une soupe composée de haricots réduits en purée et de pâtes. Quant à Tony, il avait pris du thon et des haricots en plat principal (pour mon plus grand plaisir, c'était la même étuvée de haricots que la mienne), accompagnés d'une assiette de petits oignons émincés à l'huile d'olive. Une fois de plus, la simplicité l'emportait.

4 tasses de haricots cannellini fraîchement écossés
1 feuille de laurier fraîche
1/2 tasse d'huile d'olive vierge extra
3 tasses de brodo (voir page 210)
poivre noir fraîchement moulu
sel
1/2 tasse de persil fraîchement haché

Mettre tous les ingrédients, sauf le sel et le persil, dans une sauteuse ou une poêle profonde. Faire cuire sur feu doux, sans couvrir, pendant environ 30 minutes. Saler à volonté, puis ajouter le persil. Servir les haricots tels quels, en plat, ou pour accompagner de la viande (par exemple, le carré de porc rôti, page 54).

POUR 8 PERSONNES

Gnocchi à la semoule

MAGGIE ❧ Lors de l'un de nos stages, n'ayant pas pu nous procurer de haricots *cannellini* frais pour accompagner notre carré de porc rôti (voir page 54), nous les avons remplacés par des *gnocchi* à la semoule. En effet, l'expérience nous ayant montré qu'aucun produit n'était disponible sur les marchés à moins d'être à parfaite maturité, nous devions sans cesse nous adapter et l'improvisation devint bientôt pour nous une habitude. Ce fut une grande leçon.

Cette recette est tirée de l'ouvrage d'Elizabeth David, *Italian Food*. C'était la première fois que je préparais des *gnocchi* de cette façon. Et j'étais très fière du résultat !

600 ml de lait
175 g de semoule
sel
poivre noir fraîchement moulu
muscade fraîchement râpée
2 œufs
parmigiano-reggiano fraîchement moulu
beurre fondu

Porter le lait à ébullition dans une grande casserole. Ajouter la semoule en pluie, en remuant constamment, puis porter à ébullition. Faire cuire 5 minutes en remuant, puis saler, poivrer, ajouter de la muscade et ôter du feu.

Battre légèrement les œufs avec 90 g de *parmigiano-reggiano* fraîchement râpé et ajouter à la semoule. Verser le mélange dans un plat anti-adhésif huilé de 1 cm de profondeur et laisser refroidir.

Préchauffer le four à 200 °C. Découper la semoule en rectangles, badigeonner chacun de beurre fondu et saupoudrer d'un peu de *parmigiano-reggiano*. Faire dorer 5 à 10 minutes environ sur une plaque allant au four et tapissée de papier sulfurisé. Glisser les *gnocchi* avec précaution sur des assiettes très chaudes : ils sont très fragiles.

POUR 6 PERSONNES

FENOUIL BRAISÉ

Voici un délicieux légume d'accompagnement que l'on peut préparer séparément pour servir avec un carré de porc rôti (voir page 54) si le plat n'est pas assez grand pour contenir le fenouil.

2 bulbes de fenouil coupés en quatre
2 cuil. à soupe d'huile d'olive
2 tasses de brodo (voir page 210)
2 cuil. à soupe de persil frais grossièrement haché
2 cuil. à soupe de feuilles de fenouil fraîches grossièrement hachées
poivre noir fraîchement moulu

Disposer les tronçons de fenouil dans une sauteuse à fond épais en les serrant bien. Arroser de l'huile d'olive et mettre sur le feu 1 ou 2 minutes, jusqu'à ce que l'huile commence à grésiller. Retourner les tronçons. Ajouter le *brodo,* couvrir de papier d'aluminium pour retarder l'évaporation et régler la flamme de façon à obtenir un mijotage constant. Lorsque le fenouil est tendre et qu'il reste un peu de liquide, augmenter le feu pour faire réduire le jus. Ôter la sauteuse du feu, la secouer et retourner les tronçons de fenouil pour les enrober de la sauce. Parsemer des herbes, poivrer et servir.

POUR 4 À 6 PERSONNES

CI-DESSOUS Lors d'une promenade dans Sienne, deux d'entre nous se sont retrouvés dans d'étroites rues en pente pavées de briques et de cailloux ronds. Les vieilles maisons de pierre arboraient des plaques indiquant leur année de construction : 1619 et 1632. Des enfants rentraient de l'école pour le déjeuner, des vieilles femmes marchaient bras dessus, bras dessous. Une odeur de pâtes et de champignons flottait dans l'air et du linge séchait sur des cordes.

SV PEUGEOT

PÊCHES FOURRÉES AUX AMARETTI ET ARROSÉES DE JUS D'ORANGE SANGUINE

Des oranges sanguines trouvées au marché apportèrent un plus à ce merveilleux dessert, que nous préparons habituellement avec des oranges normales. Le cocktail au jus d'orange sanguine et au Campari de Julie était tout aussi réussi.

6 pêches
150 g de biscuits amaretti émiettés
1 œuf
2 cuil. à soupe d'amandes non mondées grossièrement hachées
2 cuil. à soupe de sucre roux
beurre
1 tasse de jus d'orange sanguine frais

Préchauffer le four à 180 °C. Couper les pêches en deux et les dénoyauter. Prélever un peu de pulpe et hacher. Mélanger la pulpe hachée avec les *amaretti* émiettés, l'œuf, les amandes et le sucre roux. Remplir les moitiés de pêche. Beurrer généreusement un plat à gratin suffisamment grand pour que les fruits soient bien présentés. Disposer les fruits dans le plat et arroser du jus d'orange sanguine. Faire cuire 30 minutes, jusqu'à ce que les fruits soient tendres mais sans perdre leur forme. Servir très chaud, chaud ou froid, entouré du sirop à l'orange.

POUR 6 PERSONNES

GARNITURE AU GINGEMBRE

Pour une autre variante, voir la recette page 62.

CI-DESSOUS Le style de vie des Italiens trouve ses racines dans la grandeur et la beauté du pays mais aussi dans son passé chargé d'histoire et son attrait de la nouveauté.

PAGE CI-CONTRE La Via de'Tornabuoni à Florence : les boutiques y sont fabuleuses (et les gens aussi).

GARNITURE AUX AMARETTI, AUX AMANDES ET AU GINGEMBRE

Cette garniture, destinée à fourrer des fruits à noyau, est différente de celle de la page précédente dans la mesure où le beurre y remplace l'œuf.

1/2 tasse d'amandes non mondées (dont 3 amandes amères)
80 g de biscuits amaretti émiettés
60 g de beurre
2 cuil. à café de cognac
1 cuil. à café de gingembre confit finement haché
1/2 tasse de verjus

Préchauffer le four à 180 °C. Faire griller les amandes sur une tôle à four pendant 5 à 10 minutes, en secouant régulièrement la tôle pour les empêcher de brûler. Laisser refroidir, puis moudre au mixeur. Mélanger les amandes moulues, les *amaretti* émiettés, le beurre, le cognac et le gingembre confit, puis fourrer les pêches comme indiqué page 61. Disposer les pêches fourrées dans un plat à gratin bien huilé, verser le verjus et faire cuire selon la recette.

POUR 6 PERSONNES

AMANDES AMÈRES

Les amandes amères, qui confèrent traditionnellement au massepain sa saveur unique, ne sont pas faciles à trouver. Mais les producteurs d'amandes en cultivent généralement un arbre ou deux : ouvrez l'œil lorsque vous parcourez la campagne. Elles ne s'emploient qu'en infime quantité (en grande quantité, elles sont toxiques) et se conservent au congélateur, ce qui permet de prolonger leur fraîcheur.

Pour une variante légèrement différente, ajouter 3 amandes amères à la 1/2 tasse d'amandes douces et les faire griller de la même façon, puis préparer la garniture avec les amandes, 80 g d'*amaretti* émiettés, 1/4 de tasse de vergeoise brune, 1 gros jaune d'œuf, 3 cuil. à café de cognac et 20 g de beurre. Faire cuire les pêches farcies avec du verjus, comme indiqué ci-dessus.

CI-DESSOUS Un vendeur de journaux vantait sa marchandise. Ses boucles serrées tombant sur les épaules, son dos voûté et son nez patricien évoquaient un tableau de Piero della Francesca.

PAGE CI-CONTRE Colin et Peter faisaient la majeure partie des courses à Sienne et rapportaient de lourds paniers jusqu'à la camionnette, toujours garée à l'extérieur des remparts.

DOUBLE PAGE SUIVANTE Il Campo, une place en forme de coquille Saint-Jacques, qui date du XIVe siècle, est l'une des plus belles places d'Europe. Huit lignes blanches partant du Palazzo Pubblico coupent ce grand espace en neuf sections représentant chacune l'une des autorités qui gouvernaient aux XIIIe et XIVe siècles.

Ristorante

RISTORANTE PIZZERIA
SPADA FORTE

NE OTTICA
FOTO
GELATERIA BAR · FONTE GAIA

PAPPA AL POMODORO

CI-DESSOUS À Sienne, les briques et les pierres vieux rose donnent une teinte chaleureuse aux bâtiments, publics et privés, qui bordent les rues de la ville fortifiée. Dans le dédale des rues, le promeneur va de surprise en surprise.

PAGE CI-CONTRE La *pappa al pomodoro* ne doit sa saveur qu'à la qualité des ingrédients qu'elle contient : de superbes tomates, du bon pain et une huile d'olive verte merveilleuse. Les Toscans savent utiliser leurs restes de pain.

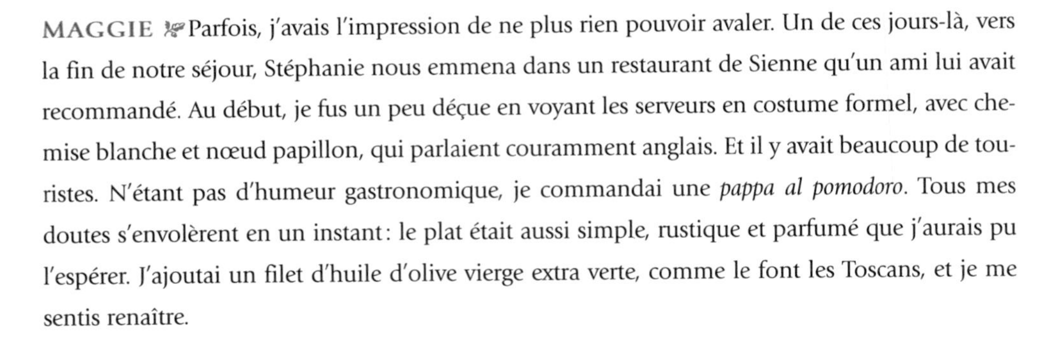

MAGGIE Parfois, j'avais l'impression de ne plus rien pouvoir avaler. Un de ces jours-là, vers la fin de notre séjour, Stéphanie nous emmena dans un restaurant de Sienne qu'un ami lui avait recommandé. Au début, je fus un peu déçue en voyant les serveurs en costume formel, avec chemise blanche et nœud papillon, qui parlaient couramment anglais. Et il y avait beaucoup de touristes. N'étant pas d'humeur gastronomique, je commandai une *pappa al pomodoro*. Tous mes doutes s'envolèrent en un instant : le plat était aussi simple, rustique et parfumé que j'aurais pu l'espérer. J'ajoutai un filet d'huile d'olive vierge extra verte, comme le font les Toscans, et je me sentis renaître.

2 gousses d'ail finement hachées
huile d'olive vierge extra
1 kg de tomates mûres, épépinées et hachées
1 petite poignée de feuilles de basilic frais, grossièrement hachées
poivre noir fraîchement moulu
sel
1 l de brodo (voir page 210)
500 g de pain (sans la croûte)
parmigiano-reggiano fraîchement râpé

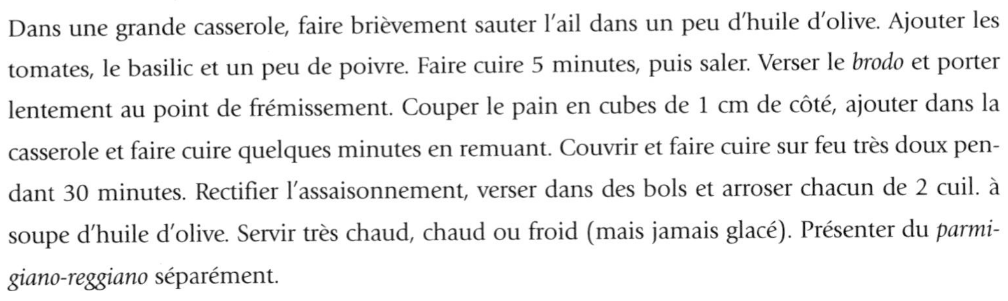

Dans une grande casserole, faire brièvement sauter l'ail dans un peu d'huile d'olive. Ajouter les tomates, le basilic et un peu de poivre. Faire cuire 5 minutes, puis saler. Verser le *brodo* et porter lentement au point de frémissement. Couper le pain en cubes de 1 cm de côté, ajouter dans la casserole et faire cuire quelques minutes en remuant. Couvrir et faire cuire sur feu très doux pendant 30 minutes. Rectifier l'assaisonnement, verser dans des bols et arroser chacun de 2 cuil. à soupe d'huile d'olive. Servir très chaud, chaud ou froid (mais jamais glacé). Présenter du *parmigiano-reggiano* séparément.

POUR 8 À 10 PERSONNES

POIVRONS FARCIS

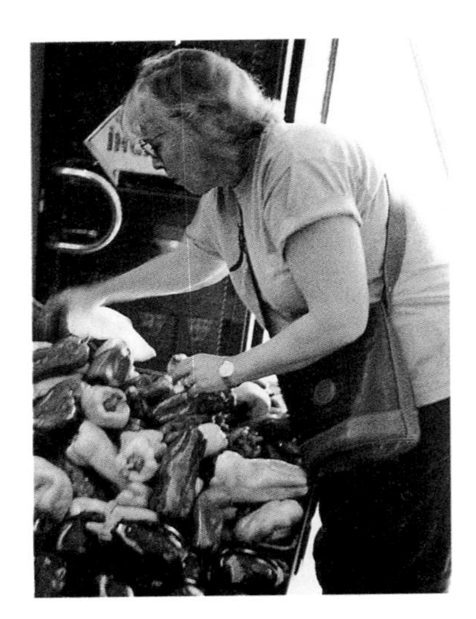

CI-DESSUS ET CI-DESSOUS

Choix des poivrons et des saucisses pour nos poivrons farcis.

Servis avec les pommes de terre de la page suivante, ces poivrons font un repas léger ou un hors-d'œuvre copieux. Nous nous sommes aperçus qu'ils sont délicieux servis le lendemain en *anti-pasto*, coupés en tranches.

6 poivrons rouges
huile d'olive vierge extra
150 g de pain du jour écroûté
1 tasse de lait
500 g de saucisses de porc fraîches
2 gousses d'ail finement hachées
2 œufs

Préchauffer le four à 200 °C. Couper les poivrons en deux dans la longueur, puis ôter les graines et les cloisons blanches. Badigeonner l'intérieur et l'extérieur d'huile d'olive et faire cuire 10 minutes, peau au-dessus.

Passer la mie de pain au mixeur et en réserver 2 cuil. à soupe. Placer le reste dans un bol, ajouter le lait et laisser tremper 5 minutes. Presser la mie de pain pour en exprimer le lait et jeter celui-ci.

Peler les saucisses. Mettre la chair des saucisses et l'ail dans une jatte et incorporer les œufs ainsi que la mie de pain. Farcir les poivrons de ce mélange et les ranger dans un plat à gratin huilé. Parsemer chaque poivron de mie de pain réservée et arroser d'huile d'olive. Faire cuire 20 minutes jusqu'à ce que le dessus soit doré et la farce ferme.

POUR 6 À 12 PERSONNES

FARCES

Toutes sortes de farces conviennent aux poivrons: restes de viande rôtie, purée de pommes de terre froide, aubergines grillées et bien d'autres. L'important est de bien assaisonner la farce et de ne pas trop remplir les poivrons pour que la farce reste juteuse et grésille en cuisant.

POMMES DE TERRE AUX CÂPRES

Ces excellentes pommes de terre à chair jaune achetées sur le marché ont fait l'unanimité à la Villa di Corsano. Prenez une variété à chair ferme – belle de Fontenay, BF 15 ou roseval, par exemple.

1 kg de petites pommes de terre à chair ferme bien lavées
2 cuil. à soupe de verjus
1/3 de tasse d'huile d'olive vierge extra
1/4 de tasse de persil plat grossièrement haché
2 cuil. à soupe de petites câpres
poivre noir fraîchement moulu
sel (facultatif)

Faire cuire les pommes de terre à l'eau et les égoutter. Les sécher en plaçant la casserole sur le feu, ajouter le verjus et attendre les premiers bouillons. Couper les pommes de terre en deux pour qu'elles absorbent l'huile et les remettre dans la casserole. Ajouter le reste des ingrédients et bien remuer. Dresser sur un plat chaud et servir.

POUR 6 PERSONNES

CI-DESSUS Sienne est une ville très accueillante. On a le sentiment de pouvoir presque se l'approprier : il est facile de se familiariser avec ses ruelles et ses petits commerces, de s'attarder, de dénicher sa table favorite et, lorsque l'on y retourne, on est accueilli en habitué par un serveur souriant.

ZESTE CONFIT

Cette délicate friandise est délicieuse après le dîner et, hachée, dans divers gâteaux, glaçages et entremets. Prenez des agrumes à peau épaisse et gardez le zeste après avoir pressé des citrons ou mangé un pamplemousse (congeler les zestes pour en avoir une quantité suffisante et les confire). Les pamplemousses à peau rose du marché San Lorenzo, à Florence, étaient extraordinaires.

écorces de pamplemousses ou de citrons coupées en deux
sucre
sucre semoule

Couper chaque demi-écorce en 4 ou 6 morceaux sans ôter la membrane blanche. Mettre dans une casserole à fond épais et couvrir d'eau froide. Porter à ébullition et égoutter. Répéter cette opération deux fois pour ôter toute amertume au zeste, puis bien égoutter.

Peser le zeste et remettre dans la casserole avec un poids égal de sucre. Faire cuire doucement jusqu'à dissolution du sucre, puis environ 1 heure jusqu'à ce que le zeste soit transparent. Égoutter et faire sécher, plusieurs jours s'il le faut, sur une grille posée sur un plateau (attention aux fourmis !). Au bout de 12 heures, retourner les zestes. Lorsqu'ils sont secs, rouler dans du sucre semoule et conserver dans des bocaux hermétiques.

Nous avons exploré différentes forêts, certaines près de la villa, d'autres plus loin, dans les collines du Chianti. Nous n'avons vu aucun

sanglier, mais des faisans, des lièvres et des cerfs.

À la recherche de *porcini*, après la pluie, nous avons vu quantité de petits cyclamens et de crocus, d'herbes sauvages et de genévriers aux baies mûres.

La forêt

ETUVÉE DE CŒURS D'ARTICHAUT À L'HUILE D'OLIVE ET AU LAURIER

CI-DESSUS ET PAGE CI-CONTRE
Les artichauts que nous avons trouvés au marché étaient exquis. Un jour, nous avons mélangé un reste de *salsa agresto* (voir page 23) avec un reste de *panzanella* (voir page 181) et en avons farci des artichauts et des cardons. Nous les avons ensuite fait cuire à four moyen pendant quelques heures, jusqu'à ce qu'ils soient tendres.

Nous avons apprêté les artichauts selon une multitude de façons : étuvés à l'huile d'olive, comme ici, en salade avec d'autres légumes, en *antipasto*, chauds avec un assaisonnement simple ou farcis.

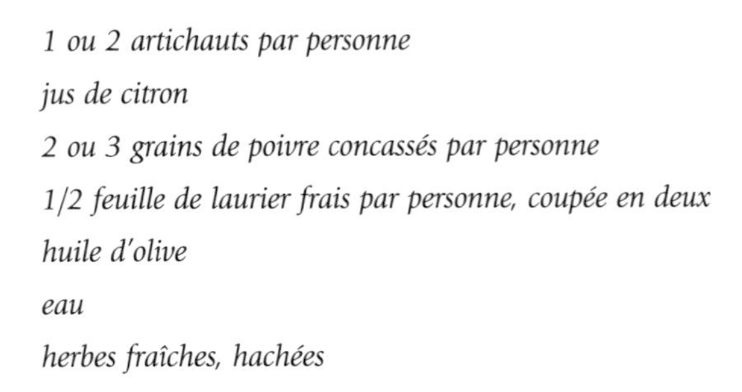

1 ou 2 artichauts par personne
jus de citron
2 ou 3 grains de poivre concassés par personne
1/2 feuille de laurier frais par personne, coupée en deux
huile d'olive
eau
herbes fraîches, hachées

Découper le tiers supérieur de chaque artichaut à l'aide d'un couteau à large lame et éliminer ce « chapeau ». Enduire immédiatement la partie coupée de jus de citron pour qu'elle ne noircisse pas. Ôter les feuilles externes dures jusqu'à l'apparition des jeunes feuilles jaune vert. Peler les queues épaisses et enduire immédiatement de jus de citron toutes les faces coupées. Couper chaque artichaut en quatre et ôter le foin à la petite cuillère. Enduire de jus de citron toutes les surfaces coupées.

Dans une poêle à fond épais émaillée ou en Inox, faire étuver les artichauts avec les grains de poivre, les feuilles de laurier et une quantité égale d'huile d'olive et d'eau, jusqu'à ce qu'ils soient tendres et que l'eau soit évaporée. Ajouter un trait de jus de citron et incorporer les herbes fraîches. Ces artichauts sont parfaits avec des pâtes ou des haricots *cannellini* frais ou secs cuits séparément.

BRAISAGE À L'HUILE D'OLIVE

Si vous disposez d'une grande quantité d'huile d'olive, vous pouvez aussi faire cuire les artichauts, les feuilles de laurier et les grains de poivre concassés à petit frémissement, comme pour un confit. Laissez les artichauts refroidir dans l'huile d'olive et servez avec du persil plat fraîchement haché, un peu du liquide de cuisson et un trait de jus de citron.

LÉGUMES

Pour faire de ce plat un repas végétarien complet, ajouter 1 ou 2 petits oignons, 1 ou 2 petites pommes de terre et 1 ou 2 tronçons de carotte par personne. Faire étuver ces légumes pendant 25 minutes dans l'huile d'olive, comme indiqué ci-dessus, jusqu'à ce qu'ils soient presque tendres, puis ajouter les artichauts et poursuivre la recette.

Pernice

PORCINI EN FEUILLES DE VIGNE

PAGE CI-CONTRE Les consommateurs avisés tiennent à inspecter chaque *porcino* de très près. Certains peuvent être habités par des vers, surtout dans les pieds. Les pieds doivent être fermes et denses et d'une texture plutôt souple que crayeuse. Coupés en deux ou émincés, ils sont délicieux frits ou grillés.

À l'automne, en Italie, toutes les *trattorie* proposent des *porcini* préparés selon diverses façons. On voit même souvent, à l'entrée des restaurants, une nature morte indiquant que la saison a commencé. Ce sera, par exemple, une assiette de champignons posés sur des feuilles vertes et flanqués, peut-être, de quelques *fettuccine*. On procède de la même façon au printemps avec les asperges et en été avec les fraises. Nul pays ne vénère plus ses produits de saison que l'Italie. Le plus beau témoignage de cette célébration de la générosité saisonnière, nous l'avons découvert dans la vitrine d'un magnifique vieux café de Florence: des meringues en forme de *porcini* présentées dans un décor forestier parmi des fruits de saison à la pâte d'amandes.

4 à 6 feuilles de vigne fraîches par personne
2 ou 3 porcini par personne
2 cuil. à soupe d'huile d'olive vierge extra par personne
1 gousse d'ail par personne
1 pomme de terre cuite à l'eau par personne
1 cuil. à soupe de pancetta hachée et sautée par personne
sel
poivre noir fraîchement moulu

Préchauffer le four à 180 °C. Laver et sécher les feuilles de vigne. Nettoyer les *porcini* en ôtant les parties abîmées. Couper les parties sableuses et émincer les pieds.

Choisir un plat en terre peu profond, si possible muni d'un couvercle, et suffisamment large pour contenir les *porcini* sur deux couches bien tassées. Badigeonner le plat d'un peu d'huile d'olive, puis tapisser avec la moitié des feuilles de vigne, en les faisant se chevaucher pour chemiser entièrement le plat. Ranger les *porcini* en intercalant des lamelles d'ail et de pieds émincés. Couper les pommes de terre en dés et ajouter aux *porcini* avec la *pancetta* sautée et un peu de sel. Poivrer, ajouter une grande partie de l'huile d'olive et recouvrir du reste des feuilles de vigne. Arroser du reste de l'huile. Placer le couvercle et faire cuire au four entre 45 minutes et 1 heure. Ôter le couvercle pour les 10 dernières minutes de cuisson afin que les feuilles du dessus deviennent un peu croustillantes. Replacer le couvercle: lorsque vous l'ôterez à table, les convives profiteront pleinement de l'arôme du plat.

PORCINI GRILLÉS

Les *porcini* sont plus gros que les champignons sauvages (voir page 24) et donc plus longs à griller au barbecue, chapeau en dessous. Si vous utilisez une poêle à griller, la partie la plus longue à cuire sera le chapeau. Une fois grillés, les *porcini* peuvent être émincés ou coupés en morceaux et servis sur de la *polenta* grillée (voir page 106).

SAUCE POUR PÂTES AU CINGHIALE DE FLORA

CI-DESSOUS Flora ne mesure pas les quantités, mais se fie à ses connaissances de cuisinière chevronnée, à sa compréhension intuitive des saveurs et à ses mains puissantes et serviables.

STEPHANIE Par une journée parfaite, dans le Chianti, nous avons rendu visite à Ann et Aldo, qui avaient acheté dix ans auparavant une propriété délabrée comprenant une minuscule église. Ils savaient que s'ils trouvaient une église à vendre, la propriété aurait une vue magnifique car l'Église a toujours su choisir les meilleurs sites ! Ils avaient raison. De tous les côtés, on n'aperçoit de chez eux qu'oliveraies argentées, au sol verdi par la pluie, champs de culture, châteaux et églises, mais aussi, çà et là, une autre villa et, au-delà, des collines escarpées couvertes d'épaisses forêts, refuge d'une faune et d'une flore très variées.

À notre arrivée, Flora était très occupée dans la cuisine. Cette femme, qui aide Ann depuis de nombreuses années, est un vrai personnage. Elle avait consenti à préparer pour notre groupe des plats traditionnels et nous avait invitées, Maggie et moi, à la regarder œuvrer. Tandis que nous nous extasions devant la beauté de la cuisine, Flora demanda à Anna : « Vous voulez manger aujourd'hui ou demain ? » Nous attroupant autour d'elle, nous observâmes ses puissantes mains brunes qui fouettaient quatorze œufs avec 1 kg 1/2 de farine : pas un gramme de farine n'avait

atterri sur le sol. Elle frappa la boule de pâte plusieurs fois avec force sur la plaque de marbre avant de la replier encore et encore et de l'abaisser enfin. Le rouleau à pâtisserie de Flora faisait au moins un mètre de longueur, sinon plus. Elle divisa la pâte en deux et, à grands coups de rouleau, l'abaissa, l'enroula autour de son ustensile, l'abaissa de nouveau et l'étira jusqu'à ce qu'elle soit fine comme du papier et couvre la table de la salle à manger de 2 mètres de longueur. Elle poudra la pâte de semoule fine et nous dit : « Tant mieux si elle a le temps de sécher, mais nous la découperons lorsque nous serons prêts. » Puis elle concentra son attention sur la sauce au sanglier destinée aux pâtes.

Peu d'entre nous auront jamais l'occasion de préparer du *cinghiale* (sanglier), originaire de Hongrie, véritable calamité pour les vignerons toscans. On peut le remplacer par du lièvre ou du chevreau, bien que la saveur du sanglier soit nettement plus délicate. On peut faire mariner le lièvre, mais ce n'est pas conseillé si l'on aime son goût de gibier. Le chevreau, quant à lui, n'a pas besoin d'être mariné.

Flora cuisina avec ce qu'elle avait sous la main et dans les proportions qu'elle estima au jugé. Comme Aldo n'aime pas que le romarin domine cette sauce, elle n'employa que les tiges, plus faciles à ôter par la suite.

Plonger les morceaux de sanglier dans de l'eau froide et laisser tremper plusieurs heures en changeant l'eau toutes les heures, jusqu'à ce qu'il n'y ait plus aucune trace de sang dans l'eau. Hacher des oignons, des carottes et du céleri et lier en botte de la sauge, du romarin et une feuille de laurier. Essuyer la viande et faire mariner dans une jatte de verre avec les légumes et les herbes (appelés collectivement *battuto*) et un verre de vin rouge. Laisser mariner 12 heures. Égoutter la marinade.

Verser une bonne couche d'huile d'olive dans une casserole à fond épais et ajouter la viande et un peu d'eau. « Laisser chanter comme un criquet » (selon l'expression même de Flora) sur le feu. Ajouter du *battuto* (mais pas trop de romarin) et un peu d'ail haché. Faire cuire au moins 1 heure, jusqu'à ce que les oignons aient commencé à caraméliser dans le fond, puis ajouter un verre de vin rouge. Incorporer un peu de sauce tomate fraîche maison, saler et poivrer. Faire cuire jusqu'à ce que la viande soit tendre, en remuant fréquemment. La sauce doit être relativement épaisse.

Ôter la viande de la sauce et hacher finement à l'aide d'une *mezzaluna*. Remettre la viande dans la sauce et réchauffer le cas échéant. Servir avec des rubans de *pappardelle*.

DOUBLE PAGE SUIVANTE En Toscane, la législation oblige à reconstruire dans les mêmes dimensions et proportions que le bâtiment d'origine et avec des matériaux traditionnels. Cela assure non seulement la pérennité du style local mais également, sans doute, le maintien de professions comme celle de tailleur de pierre et équarrisseur de poutre. Aujourd'hui, la maison d'Ann et Aldo est l'une des plus belles que nous ayons jamais vues. Sur cette photographie, la table a été mise pour un déjeuner *al fresco* de vingt convives.

PIGEONS GRILLÉS

STEPHANIE Les pigeons étaient énormes : plus de 500 g chacun ! Tony, chargé de les faire cuire sur son barbecue spécial alimenté aux feuilles de laurier, leur trouva une ressemblance avec des ptérodactyles !

Dans mon jardin du Stephanie's Restaurant, j'avais un myrte très prolifique. C'est l'une des choses dont j'ai le plus regretté la perte en tournant cette page de ma vie.

pigeons
sel
poivre noir fraîchement moulu
huile d'olive
feuilles de laurier, de romarin ou de myrte frais

CI-DESSUS À l'origine, ce plat devait être composé de pigeons grillés au feu de bois et accompagnés d'une sauce aux mûres et aux oignons (voir page 81). Mais, n'ayant pas de mûres sous la main, nous avons dû repenser la recette. Pour un repas, nous avons donc préparé une sauce à base de raisins écrasés et, une autre fois, une sauce aux oignons braisés avec des olives et du chou noir toscan, le merveilleux *cavolo nero*. Cette recette est illustrée ci-dessus et expliquée à la page suivante.

Pour préparer chaque pigeon, trancher les ailes au niveau de la première articulation et les mettre dans une jatte. Couper la tête et le cou, le cas échéant, et les ajouter dans la jatte. Ne pas couper la peau du cou trop près du corps car, se rétractant au contact de la chaleur, elle découvrira le haut des filets, qui se dessécheront rapidement. Retrousser doucement la peau des filets et ôter le bréchet inséré dans la chair : passer un petit couteau aiguisé tout autour de celui-ci, en suivant avec soin la jointure entre les deux os courbes. Repérer le contour du bréchet avec les doigts, détacher celui-ci et le mettre dans la jatte. À l'aide de ciseaux de cuisine, couper le dos de la volaille de part et d'autre de la colonne vertébrale, jusqu'à l'ouverture du cou. Ajouter la colonne vertébrale dans la jatte. Ouvrir l'oiseau, peau en dessous, ôter le cœur et le foie et les mettre dans la jatte. Rincer l'oiseau sous l'eau froide, essuyer à l'aide de papier absorbant et placer sur une assiette. Laver et essuyer la planche à découper et reposer l'oiseau, peau au-dessus. Appuyer fermement sur le sternum pour aplatir le pigeon.

Assaisonner chaque oiseau avec du sel, du poivre, de l'huile d'olive, des feuilles de laurier, de romarin ou de myrte. Couvrir et laisser reposer 1 heure à température ambiante avant de cuire au gril. S'ils sont préparés plus longtemps à l'avance, il est préférable de les réfrigérer.

Préparer le feu de bois pour la cuisson des pigeons, puis laisser les flammes s'éteindre. Ôter les oiseaux de la marinade et essuyer tout excès d'huile qui risquerait de raviver les flammes. Poser les pigeons, chair en dessous, sur le gril et faire cuire 6 à 8 minutes. Retourner et faire griller la peau 2 minutes de plus. Transférer sur un plat chaud et laisser reposer environ 2 minutes avant de découper les parts. Servir avec des oignons braisés, des olives vertes, du *cavolo nero* (voir page 81) et des *crostini* aux abats de pigeon (voir page 86). Après ce plat, les convives apprécieront un linge chaud humide pour se laver les mains.

OIGNONS BRAISÉS, OLIVES VERTES ET CAVOLO NERO

La variété d'oignons légèrement aplatis que nous avons trouvés était exceptionnelle : doux, ils étaient suffisamment petits pour être mangés d'une seule bouchée. Dans les supermarchés, ils étaient vendus déjà pelés, mais nous préférions ôter aussi la première pelure suivante. Le *cavolo nero* est un chou de couleur sombre que nous ne connaissions pas auparavant. D'une saveur distincte, ce merveilleux légume reste croquant une fois cuit, contrairement aux autres choux. On peut le remplacer par des bettes ou du *rapini*, plus difficile à se procurer.

petits oignons
huile d'olive
brodo (voir page 210)
olives vertes
cavolo nero

Faire braiser doucement les oignons dans un peu d'huile d'olive et du *brodo* à mi-hauteur, dans une sauteuse munie d'un couvercle. Ajouter les olives au bout de 15 minutes, puis incorporer le *cavolo nero* coupé en julienne. Lorsque les oignons seront tendres, le *cavolo nero* sera presque noir et le *brodo* aura laissé la place à une émulsion humide et luisante.

SAUCE AUX MÛRES ET AUX OIGNONS

Nous n'avons pas pu préparer cette sauce en Italie par manque de mûres. Mais, de retour en Australie, nous l'avons cuisinée pour accompagner des pigeons.

12 oignons grelots pelés
3 tranches de pancetta hachées
1 cuil. à soupe d'huile d'olive
eau
4 tasses de mûres
1/2 tasse de vin rouge

Dans une poêle, faire sauter les oignons et la *pancetta* dans l'huile d'olive. Ajouter un peu d'eau et faire cuire à couvert jusqu'à ce que les oignons soient juste tendres. Dans une casserole, faire mijoter les mûres dans le vin puis passer à la moulinette munie de la grille la plus fine. Jeter les résidus solides. Ajouter cette purée aux oignons et réchauffer avant de servir.

POUR 6 PERSONNES

CI-DESSUS Le *cavolo nero* est un produit passionnant. Étuvé dans l'huile avec un peu d'ail, il garnit des *crostini*. En lanières, il ajoute une touche sombre mystérieuse au *minestrone*. Nous l'avons également fait braiser avec des oignons et des olives vertes.

DOUBLE PAGE SUIVANTE Près de Montalcino, nous avons assisté aux vêpres de l'abbaye de Sant'Antimo fondée, dit-on, par Charlemagne au VIIIe siècle, mais construite dans l'ensemble au cours des quatre siècles suivants. Sa nef en forme de tonneau et son campanile brillaient dans la lumière, spectacle simple mais fabuleux. L'intérieur de l'abbaye est d'une beauté extraordinaire. Les colonnes massives, lisses, sont décorées de façon très sobre. Et l'acoustique est remarquable : les voix *mezzoforte* des trois moines augustins remplissaient tout l'espace, chaque note s'attardant dans l'air.

HARICOTS BORLOTTI À LA PANCETTA

Nous avons servi ces délicieux haricots avec du pigeon, en remplacement des oignons braisés (voir page 81), mais ils seront délicieux avec du lapin et même tels quels, avec du pain. L'huile d'olive vierge extra doit être vraiment parfumée – nous avions à notre disposition quantité de cette fabuleuse huile d'olive toscane.

Comme nous avions des carcasses de pigeon, nous les avons utilisées pour confectionner le bouillon. Mais un bouillon de volaille normal conviendrait tout à fait. Il peut être nécessaire de diluer le bouillon de pigeon avec un peu d'eau.

PAGES PRÉCEDENTES En nous approchant lentement de l'abbaye illuminée, fendant la brume, nous avions le sentiment d'être dans un autre monde.

CI-DESSOUS La grille d'entrée de la Villa di Corsano.

PAGE CI-CONTRE Détail de la peinture de Taddeo de Bartolo, *San Gimignano in trono e i suoi miracoli*, au Museo Civico de San Gimignano.

12 tranches de pancetta
1 kg de haricots borlotti fraîchement écossés
12 gousses d'ail pelées
bouillon de pigeon ou brodo de poule (voir page 210)
eau (facultatif)
1 brin de romarin
huile d'olive vierge extra
sel
poivre noir fraîchement moulu

Préchauffer le four à 200 °C et faire griller la *pancetta* quelques minutes sur une lèchefrite. Réserver. Mettre les haricots et les gousses d'ail dans une casserole à fond épais et couvrir de bouillon (ajouter un peu d'eau si le bouillon est particulièrement épais). Ajouter le romarin et de l'huile d'olive, et assaisonner. Couvrir la casserole et laisser frémir très lentement, à feu extrêmement doux, jusqu'à ce que les haricots soient tendres mais ne se défassent pas : il faut compter environ 45 minutes. Laisser les haricots refroidir un peu dans le liquide, puis égoutter. Ôter le romarin, mélanger les haricots avec les gousses d'ail crémeuses et la *pancetta* croustillante et arroser d'huile d'olive. Vérifier l'assaisonnement avant de servir.

POUR 6 PERSONNES

CROSTINI AUX ABATS DE PIGEON

Nous avons préparé de superbes *crostini* et *bruschetta* avec les foies, les gésiers et les cœurs des pigeons que nous avons ensuite grillés (voir page 80).

100 g de lard de poitrine fumé, finement détaillé
8 cœurs de pigeons coupés en deux
8 gésiers de pigeons coupés en deux
18 foies de pigeons nettoyés
huile d'olive
1 gros oignon finement haché
3 gousses d'ail finement hachées
1/4 de tasse de vin rouge ou blanc
1/4 de tasse de persil plat fraîchement haché
sel
poivre noir fraîchement moulu
6 tranches de gros pain

Faire revenir le lard dans une poêle à fond épais jusqu'à ce qu'il soit croustillant. Ôter à l'aide d'une écumoire et laisser la matière grasse dans la poêle. Faire sauter les cœurs et les gésiers sur feu doux pendant 1 minute environ, augmenter le feu et ajouter les foies. Faire sauter rapidement 2 à 3 minutes, en les retournant une fois, puis transférer sur une assiette. Verser quelques gouttes d'huile d'olive dans la poêle, puis ajouter l'oignon et l'ail. Faire cuire 1 à 2 minutes sur feu très vif, puis réduire le feu et couvrir la poêle. Faire cuire, en remuant de temps en temps, jusqu'à ce que l'oignon soit très tendre et doré. Remettre le lard dans la poêle, augmenter le feu et ajouter le vin et les sucs de cuisson des abats. Porter à ébullition et maintenir à gros bouillons pendant 1 minute. Hacher finement les abats et remettre dans la poêle. Incorporer le persil et assaisonner à volonté.

Préchauffer le four à 180 °C. Badigeonner les tranches de pain d'huile d'olive et faire griller des deux côtés. Tartiner les *crostini* du mélange aux abats, arroser de quelques gouttes d'huile d'olive et réchauffer au four pendant 5 minutes. Servir sans attendre.

POUR 6 *CROSTINI*

GRATIN DE POTIRON DU JARDIN

Nous avions prévu de servir des artichauts avec le plat de pigeon de la page 80, mais nous n'en avons pas trouvé. Nous les avons donc remplacés par un gratin de gros tronçons de potiron à l'ail et au *parmigiano-reggiano*.

huile d'olive vierge extra
poivre noir fraîchement moulu
sel de mer
3 cuil. à soupe de parmigiano-reggiano fraîchement râpé
1 kg de potiron, pelé et coupé en cubes de 3 cm de côté

Préchauffer le four à 180 °C. Mettre 1/4 de tasse d'huile d'olive, un peu de poivre et de sel dans une grande jatte et incorporer le *parmigiano-reggiano*. Plonger les tronçons de potiron dans ce mélange en les enrobant bien. Choisir un plat à gratin profond dans lequel les tronçons de potiron seront bien serrés et badigeonner d'huile d'olive. Disposer le potiron et faire cuire entre 45 minutes et 1 heure. Si le fromage brunit avant que le potiron ne soit tendre, couvrir le plat de papier d'aluminium pour les 15 dernières minutes de cuisson.

POUR 6 PERSONNES

SAUCE TOMATE

On peut ajouter au potiron un reste de sauce tomate maison et même sa « marinade », comme pour les oignons caramélisés (voir page 194).

SEMIFREDDO AU MIEL DE CHÂTAIGNIER

Le premier matin où nous étions à la Villa di Corsano, notre amie Ann est arrivée avec un grand panier rempli de bonnes choses : les tomates les plus rouges que nous ayons jamais vues, de la sauge, de la salade verte, un grand pain, une énorme bouteille d'huile d'olive vierge extra pressée avec ses propres olives, une bouteille de son vinaigre de vin rouge maison et un bocal de miel de châtaignier épais. L'essence de la Toscane dans un panier !

Si vous ne trouvez pas de miel de châtaignier, tout miel bien parfumé fera l'affaire.

180 g de miel de châtaignier
600 ml de crème fleurette bien froide
2 petites pincées de fleurs de lavande

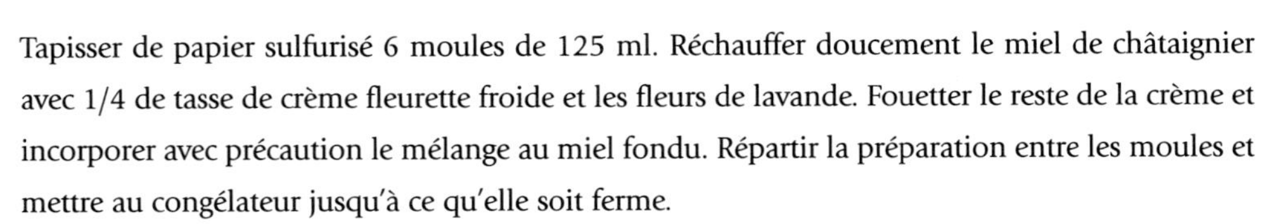

Tapisser de papier sulfurisé 6 moules de 125 ml. Réchauffer doucement le miel de châtaignier avec 1/4 de tasse de crème fleurette froide et les fleurs de lavande. Fouetter le reste de la crème et incorporer avec précaution le mélange au miel fondu. Répartir la préparation entre les moules et mettre au congélateur jusqu'à ce qu'elle soit ferme.

Démouler chaque *semifreddo* et ôter le papier sulfurisé. Servir avec des figues étuvées en sirop d'*Amaro* (voir page 90). Le *semifreddo* ne doit pas être trop dur au moment de le servir : si le dîner est plus long que prévu, il faut le sortir du congélateur un peu avant le dessert.

POUR 6 PERSONNES

CI-DESSUS Nous avons mis dans notre *semifreddo* un brin de lavande du jardin très parfumée.

PAGE CI-CONTRE Ce simple dessert glacé a remporté un vif succès. Des figues à peine cuites, cueillies le jour-même à parfaite maturité, accompagnaient notre *semifreddo*.

FIGUES, RAISINS ET NOIX

Au lieu de servir le *semifreddo* avec des figues à l'*Amaro*, faire fondre sur feu doux 2 cuil. à soupe de miel de lavande avec 2 à 3 cuil. à soupe d'eau. Ajouter au sirop 400 g de raisins coupés en deux et épépinés, des figues coupées en deux et pelées ainsi que des cerneaux de noix et réchauffer.

Figues étuvées au sirop d'Amaro

CI-DESSOUS Le heurtoir de la porte principale de la villa.

PAGE CI-CONTRE La figue est un fruit piriforme originaire d'Orient. Le figuier de la villa nous permettait de nous approvisionner au fur et à mesure de nos besoins.

Un jour, nous avons cueilli des figues une heure avant le déjeuner et les avons fait étuver lentement dans un sirop aromatisé à l'*Amaro*, un digestif. Elles étaient magnifiques servies avec un *semifreddo* au miel (voir page 88).

1 tasse de sucre
1 tasse 1/2 de verjus
1/2 gousse de vanille fendue
12 grosses figues pelées
100 ml d'Amaro
1/4 de tasse de crème fraîche épaisse ou de mascarpone *(facultatif)*

Mettre le sucre, le verjus et la gousse de vanille dans une grande casserole et faire chauffer doucement jusqu'à dissolution du sucre. Ajouter les figues et laisser frémir doucement, à couvert, pendant 5 minutes. Lorsqu'elles sont tendres, laisser refroidir dans le sirop. Ajouter l'*Amaro* et laisser infuser 30 minutes. Servir les figues et leur sirop avec un *semifreddo* au miel (voir page 88) ou sur une assiette plate nappée de crème ou de *mascarpone*.

POUR 6 PERSONNES

RISOTTO AU RADICCHIO

MAGGIE J'adore cuisiner le *risotto* : je trouve le procédé extrêmement valorisant, un peu comme pour les pâtes. Les occupants de la Villa di Corsano se réjouissaient à l'avance lorsque du *risotto* était au menu. Mais l'étroitesse de la cuisine ne permettait pas à tout le monde d'assister à l'opération et ce plat doit se préparer sans interruption. Je l'ai donc préparé jusqu'à un stade le plus avancé possible pendant les cours et j'ai admis l'un des occupants les plus motivés pour assister à la touche finale.

De tous nos *risotti*, le plus apprécié était celui au *radicchio*. Un jour, nous le faisions avec du bouillon de poulet et un autre avec du fumet de poisson. Les deux étaient délicieux. Le rouge sombre du *radicchio* rosissait le plat pendant la cuisson et le mariage du bouillon, du *radicchio* et du beurre apportait une saveur douce-amère.

PAGE CI-CONTRE Un jour, nous avons modifié le caractère de notre *risotto radicchio* en employant du fumet de poisson (voir page 211) parce que nous étions à court de bouillon de poulet. Nous l'avons servi avec des beignets de sardines pour parachever le caractère marin. Cette version est devenue un plat de prédilection dans tous nos stages.

1,5 l de brodo de poule (voir page 210)
500 g de radicchio
1 gros oignon finement détaillé
2 cuil. à soupe d'huile d'olive
75 g de beurre
2 tasses de riz arborio
1/2 tasse de vin blanc
sel
80 g de parmigiano-reggiano fraîchement râpé
20 à 40 g de beurre supplémentaire (facultatif)
poivre noir fraîchement moulu

Mettre le *brodo* à chauffer. Séparer les feuilles de *radicchio*, bien les laver, les égoutter et les essuyer. Les superposer et couper en lanières de 5 mm de largeur.

Dans une poêle profonde ou une sauteuse, faire sauter l'oignon dans l'huile d'olive et le beurre jusqu'à ce qu'il soit doré. Ajouter les lanières de *radicchio* et bien mélanger. Augmenter le feu, ajouter le riz et remuer pour bien l'enrober. Verser le vin et le laisser évaporer. Saler.

Ajouter une louche de *brodo* très chaud au riz et remuer jusqu'à ce qu'il soit incorporé. Répéter cette opération, en remuant sans cesse, jusqu'à épuisement du bouillon : le riz doit être cuit mais ferme (le centre ne doit pas être crayeux). Il faut compter environ 20 minutes. La dernière louche de *brodo* ne sera pas complètement absorbée, ce qui donnera au *risotto* une consistance humide.

Ôter la poêle du feu, incorporer le *parmigiano-reggiano* et ajouter, le cas échéant, le beurre supplémentaire. Poivrer, vérifier le sel et servir.

POUR 6 PERSONNES

TIRAMISÙ D'ELENA

Elena, membre de notre équipe, est une cuisinière très imaginative et particulièrement douée pour la pâtisserie et la boulangerie. Son caractère heureux, « un peu salé », comme elle le dit elle-même, est une grande joie pour tous. Elle a eu d'excellents contacts avec tous nos pensionnaires, surtout les plus renfermés ou les anxieux. Elle a préparé ce *tiramisù* pour utiliser notre énorme réserve de *mascarpone* (nous adorons le *mascarpone* italien, si crémeux et onctueux) et pour gâter les membres de l'équipe. Ce dessert était si bon qu'il lui a été réclamé au moins deux fois encore au cours du séjour.

CI-DESSUS Empiler les bûches faisait partie des tâches quotidiennes des stagiaires. Nous aimions aller ramasser des branches dans les bois voisins et profitions toujours de l'occasion pour chercher des champignons sauvages. Nous élaguions régulièrement les haies de laurier entourant la villa : les branches de 6 centimètres de diamètre servaient à alimenter notre barbecue.

PAGE CI-CONTRE Sur les murs de la chambre de Stéphanie, détail d'angle de la fresque représentant les sept Vertus.

375 g de biscuits à la cuiller (environ 24)
2 tasses de café noir froid très fort
200 de chocolat amer râpé
500 g de mascarpone
cacao
chocolat amer râpé supplémentaire

ZABAGLIONE
6 jaunes d'œufs
1/3 de tasse de sucre semoule
1/2 tasse de cognac

Pour le *zabaglione,* fouetter les jaunes d'œufs, le sucre semoule et le cognac dans un bol posé dans une casserole d'eau frémissante. Lorsque le mélange a épaissi, ôter du feu et continuer à fouetter jusqu'à refroidissement. Dans un autre bol, fouetter le *mascarpone* jusqu'à ce qu'il soit onctueux, puis incorporer au *zabaglione* refroidi.

Ranger la moitié des biscuits dans une jolie jatte d'une capacité de 2 litres. Arroser de la moitié du café et répartir la moitié du chocolat. Ajouter la moitié du mélange *zabaglione-mascarpone* et l'étaler sur la couche de biscuits. Répéter cette opération, tamiser le cacao sur le dessus et parsemer du chocolat râpé supplémentaire. Réfrigérer 2 heures avant de servir.

POUR 8 PERSONNES

San Lorenzo est un vrai marché populaire. Comme tous les marchés italiens, il se trouve au cœur de la ville, ce qui en dit long sur l'importance des produits frais dans ce pays. D'un accès facile à pied mais impossible en voiture, tous les étals sont réunis sous un même toit magnifique. Les produits sont d'une qualité splendide et le marché attire à la fois les touristes et les Florentins amateurs de bonne chère.

Le marché

PANETTONE

CI-DESSUS Le *panettone* de notre petit déjeuner.

PAGE CI-CONTRE Détail de l'œuvre de Lorenzetti (1319-1348), *Effetti del Buongoverno*, exposée au Palazzo Pubblico, à Sienne.

Un matin, Elena nous a préparé un *panettone* pour le petit déjeuner, avant le départ pour le marché. Elle a également fait cuire des prunes de Damas à déguster avec du yogourt. Il y avait un prunier sur la propriété : nous nous servions à mesure que les fruits mûrs tombaient sur le sol.

1/3 de tasse d'eau chaude
25 g de levure sèche ou 50 g de levure du boulanger
1/4 de tasse de sucre
6 jaunes d'œufs
1 goutte de vanille pure
1 zeste de citron râpé
1/2 cuil. à café de sel
180 g de beurre
2 tasses 1/4 à 2 tasses 1/2 de farine
1/2 tasse de zeste d'orange confit haché
1/2 tasse de raisins secs

Mélanger l'eau chaude, la levure et 1 cuil. à soupe de sucre dans une jatte et laisser mousser pendant environ 15 minutes. Dans une autre jatte, fouetter les jaunes d'œufs, la vanille, le zeste, le sel et le reste du sucre jusqu'à obtention d'une préparation jaune pâle et épaisse. Ajouter la levure au mélange. Faire chauffer doucement 160 g de beurre jusqu'à ce qu'il soit presque fondu. Par petites quantités, ajouter d'abord 1 tasse 1/2 de farine au mélange à l'œuf, puis le beurre. Incorporer le reste de la farine (peut-être pas en totalité car le mélange ne doit être ni collant ni sec). Pétrir la pâte pendant 10 minutes, jusqu'à ce qu'elle soit souple et élastique. Mettre dans une jatte légèrement huilée, couvrir d'un linge propre et laisser lever 1 heure dans un lieu abrité des courants d'air.

Écraser la pâte avec la paume de la main et l'abaisser en rectangle. Répartir le zeste et les raisins secs, couvrir d'un linge et laisser lever 30 minutes de plus. Pendant ce temps, préchauffer le four à 200 °C et beurrer un moule de 14 x 8 cm.

Transférer la pâte levée avec précaution dans le moule, faire fondre le reste du beurre et badigeonner la pâte. Faire cuire 10 minutes. Réduire la température du four à 180 °C et badigeonner à nouveau la pâte de beurre fondu. Faire cuire 30 à 35 minutes de plus, puis éteindre le four et laisser refroidir le *panettone* à l'intérieur. Servir tel quel ou grillé pour un somptueux petit déjeuner.

Oeufs brouillés et truffes sur toast

CI-DESSOUS Ces petits *porcini* étaient merveilleux dans un *risotto* ou des sauces. Pas toujours bon marché, il fallait les choisir avec le plus grand sérieux.

PAGE CI-CONTRE *Tartufi* blancs et noirs au marché San Lorenzo de Florence. Nous sommes arrivés en Italie peu avant le début de la saison des truffes. Notre marchand favori était le seul à en vendre. Les truffes blanches venaient plutôt du Piémont car il faisait très sec en Toscane.

Nous nous sommes préparés à une excursion à Sienne, avec famille et amis, avec un brunch d'œufs brouillés aux truffes blanches. « Encore des truffes ! » soupira Tony. « Cela fait trois repas de suite ! » Nous avions laissé les truffes parmi les œufs pendant une nuit, ce qui avait parfumé aussi bien les coquilles que l'intérieur des œufs.

10 œufs de ferme
100 ml de crème
40 g de beurre
sel
poivre noir fraîchement moulu
autant de restes de truffes que vous avez !

Battre les œufs dans une jatte, ajouter la crème et la moitié du beurre coupé en tout petits dés et assaisonner. Faire fondre le reste du beurre dans une poêle à fond épais. Pendant ce temps, préchauffer les assiettes et commencer à préparer des tartines de pain grillé beurrées. Verser le mélange aux œufs dans la poêle et réduire le feu au plus bas. Quand les œufs commencent à prendre, remuer le mélange en ramenant les œufs cuits sur le dessus. Ôter la poêle du feu avant que les œufs soient complètement cuits. Répartir les œufs brouillés entre les assiettes chaudes et ajouter rapidement des lamelles de truffe fines comme du papier : elle vont fondre sous la chaleur des œufs.

POUR 6 PERSONNES

HARICOTS BORLOTTI FRAIS

STEPHANIE ❧ À chaque nouvelle visite au marché, nous sympathisions davantage avec les commerçants. La troisième semaine, agacés que nos stagiaires photographient leurs produits, les vendeurs d'herbes aromatiques voulurent nous chasser. J'étais de mauvaise humeur, moi aussi, car la matinée avait été longue et je voulais juste acheter de la roquette sauvage. C'était pourtant à ce même étal qu'on m'avait offert un bouquet de cyclamens sauvages la semaine précédente. J'ai alors aperçu un jeune vendeur de haricots *borlotti* occupé avec une cliente âgée. Elle acheta une salade (« plus petite, s'il vous plaît »), une carotte, deux courgettes, etc. Chaque nouvel achat prenait du temps, mais le jeune homme demeurait aimable et serviable, plaçant chaque légume dans le sac de la vieille dame. À la fin, il l'aida à extraire les bonnes pièces et les bons billets de son porte-monnaie après lui avoir fait gentiment remarquer qu'elle lui avait donné un bouton au lieu d'une pièce de 500 lires. Il ajusta sur les épaules de la dame son cardigan de laine et tous deux se souhaitèrent une bonne journée.

1 kg de haricots borlotti fraîchement écossés
eau froide
1/2 tasse d'huile d'olive
1 feuille de laurier fraîche
1 gros brin de romarin

CES DEUX PAGES Scènes du *mercato* San Lorenzo : deux dames florentines échangent les nouvelles du jour. Haricots *borlotti* frais. Piles de cageots.

Mettre les haricots dans une casserole et couvrir généreusement d'eau froide. Ajouter le reste des ingrédients. Faire cuire environ 45 minutes, puis laisser les haricots refroidir dans le liquide. Servir en accompagnement.

POUR 6 PERSONNES

LIQUIDE DE CUISSON

Conservez le liquide de cuisson des haricots : il est délicieux pour déglacer une poêle, parfumer une sauce (voir le *sformato* page 196) ou comme base pour une soupe de haricots.

SOUPE DE HARICOTS BORLOTTI

Réduire en purée les deux tiers des haricots cuits avec leur liquide de cuisson, puis assaisonner à volonté. Allonger d'eau si nécessaire. Incorporer le reste des haricots et, le cas échéant, un peu d'ail sauté. Terminer la soupe en ajoutant de l'huile d'olive vierge extra et du persil haché et/ou des feuilles de sauge passées au four puis émiettées.

Leonesi
INGROSSO FRUTTA E PATATE
TEL. (059) 77.54.06
PESO ORIG. Gr.
ORTOVERDE
PESO ORIGINE
GR. 0.500
GROW
AZIENDA AGRICOLA
GRAZIANI & GRASSI
ORTOBEMAR
PESO ORIGINE

ROGNONS DE PORC GRILLÉS

CI-DESSUS Le sol de la porcherie de la ferme Bischi est couvert de gravats pour maintenir les pieds des porcs propres et en bonne santé. Le bâtiment en brique est magnifique et la vue fabuleuse.

PAGE CI-CONTRE Vendeur de marrons grillés sur le marché de la Piazza del Mercato Centrale, à Florence, près du marché San Lorenzo.

La variété d'abats que l'on peut acheter au marché San Lorenzo de Florence était incroyable. Nous n'avons eu aucun mal à trouver de la crépine pour faire griller les rognons ou préparer notre propre version de *polpettine* (minuscules saucisses). Avant d'employer la crépine, il faut la faire tremper une nuit dans de l'eau légèrement salée pour ôter toute trace de sang et la ramollir, puis l'essuyer. Elle se conserve très bien au congélateur.

1 rognon de porc très frais pour 4 personnes
sel
poivre noir fraîchement moulu
2 feuilles de laurier frais par personne
crépine de porc
brins de romarin

Ôter la membrane des rognons. Saler généreusement les rognons et laisser dégorger 1 heure. Rincer. Bien essuyer à l'aide de papier absorbant, puis poivrer. Émincer en lamelles épaisses et envelopper dans de la crépine avec une feuille de laurier. Placer les « papillotes » sur un gril modérément chaud. Le temps de cuisson diffère selon la taille de la papillote et la chaleur du feu : il faut compter 5 minutes en moyenne. Retourner les papillotes une fois que la crépine en contact avec le feu a fondu. Laisser reposer 5 minutes avant de servir avec de la moutarde de Crémone (fruits macérés dans une sauce aigre-douce à la moutarde).

FOIE DE VEAU GRILLÉ

Un soir, nous avons fait un magnifique repas de saucisse au sanglier (*cinghiale*), de *polenta* grillée au *gorgonzola* (voir page 106) et de ce foie grillé entier dans notre immense cheminée, que nous avons agrémenté d'un reste d'oignons caramélisés (voir page 194).

600 g de foie de veau
sel
poivre noir fraîchement moulu
huile à l'ail (voir page 212)
jus de citron
huile d'olive vierge extra

Saler et poivrer le foie et badigeonner d'huile à l'ail. Faire griller sur un feu bien chaud, en le retournant une ou deux fois, pendant 15 minutes. Transférer sur un plat préchauffé, arroser de jus de citron et d'huile d'olive et rajouter du poivre. Laisser reposer 15 minutes avant d'émincer et de servir.

MEDITERRANEAS

POLENTA GRILLÉE

MAGGIE Au lieu de découper notre *polenta* en rectangles, comme décrit ici, nous l'avons nappée de *gorgonzola* et placée entière entre deux grilles reliées par une charnière, de façon à pouvoir la retourner plus facilement sur le feu. Nous ne l'avons coupée qu'au moment de servir. Stéphanie et Tony étaient chargés de retourner la grille, mais Elena est arrivée à la rescousse au moment où la *polenta* allait finir dans le feu.

Habituellement, on n'ajoute pas de lait dans la *polenta*, mais je trouve qu'il donne un résultat bien plus crémeux.

1 l de lait
3 tasses d'eau
1 cuil. à café bombée de sel
350 g de polenta
poivre noir fraîchement moulu
100 g de beurre (facultatif)
100 g de parmigiano-reggiano fraîchement râpé (facultatif)
huile d'olive

Porter le lait et l'eau à ébullition dans une casserole à fond épais et ajouter le sel. Verser la *polenta* en pluie en remuant sans cesse à la cuillère en bois. Une fois que toute la *polenta* est dans la casserole, éteindre le feu. Continuer à remuer pour empêcher la formation d'une peau. (De plus, la cuisson lente évite que la *polenta* ne devienne amère). La *polenta* va épaissir et se détacher des bords de la casserole. Ôter la casserole du feu et poivrer. Incorporer le beurre et le fromage (on peut omettre cette étape si l'on veut une *polenta* moins riche). Transférer la *polenta* sur une tôle à four et l'étaler avec les mains humides sur 1 cm d'épaisseur. Laisser refroidir complètement.

Préchauffer un gril ou une poêle à griller. Découper la *polenta* en parts et badigeonner d'huile d'olive. Poser les parts sur la plaque de cuisson huilée. La *polenta* va se détacher de la plaque à mesure que sa surface formera une croûte. Retourner les parts. (Si elles sont déplacées ou retournées trop tôt, la croûte restera attachée à la plaque.)

POUR 6 PERSONNES

GORGONZOLA

Au lieu d'ajouter du *parmigiano-reggiano* à la *polenta*, on peut employer du *gorgonzola*. Couper la *polenta* en parts, napper chacune de *gorgonzola* et remettre sur le feu ou le gril jusqu'à ce que le fromage ait fondu.

RADICCHIO GRILLÉ

Chaque fois que nous allions au marché, un nouveau produit faisait son apparition. À notre dernière visite avec les stagiaires, ce fut le tour du *radicchio di Treviso*, une salade rouge foncé originaire de Vénétie qui entrait dans sa très courte saison. Certaines variétés de *radicchio*, comme celle de Trévise, sont à rosettes, tandis que d'autres ont une pomme compacte (*di Chioggia*, par exemple). Certaines sont roses et blanc crème et d'autres vert foncé avec des taches rouges. La plupart portent un nom local, ce qui rend leur identification difficile hors de la région. Mais la principale différence est leur forme : allongée ou ronde.

Le *radicchio* grillé ne plaît pas à tout le monde car il est plutôt amer. Mais, accompagné d'un ingrédient riche comme le foie (voir page 104) ou le rognon de porc, du poulet ou de la *bistecca alla fiorentina* (voir page 23), il apporte un contraste merveilleux. Le *radicchio* que l'on trouve en Italie est exceptionnel, surtout celui de Trévise, et son amertume n'a rien d'excessif. Nous en aurions bien mangé à tous les repas !

radicchio
huile d'olive vierge extra
bon vinaigre de vin rouge
1 gousse d'ail finement écrasée
poivre noir fraîchement moulu

Conserver les rosettes telles quelles (pour le *radicchio di Trevisa*) ou couper en quatre, sans ôter la base, pour les variétés à pomme serrée. Rincer sous l'eau et égoutter dans une passoire à pied. (Si le *radicchio* est encore humide lorsqu'il est mis sur le gril, il cuira encore mieux grâce à la vapeur qui va se former.)

Mélanger 4 mesures d'huile d'olive et 1 mesure de vinaigre de vin rouge, puis ajouter l'ail et le poivre. Badigeonner les feuilles externes avec cette marinade, mettre sur une grille chaude et poser sur le feu. Retourner plusieurs fois en arrosant de la marinade. Le *radicchio* grillé va énormément rétrécir, brunir et devenir croustillant à l'extérieur mais tendre à l'intérieur.

DOUBLE PAGE SUIVANTE Sur le fleuve Arno, à Florence, le Ponte alla Carraia (le « pont aux carrioles »), en aval du Ponte Vecchio. Construit en 1220 pour permettre aux marchands de la rive droite d'apporter leur laine aux teinturiers et aux tisserands de la rive gauche, le pont a été modifié plusieurs fois, dont deux fois par Giotto, le père de la Renaissance, et, plus récemment, après la Seconde Guerre mondiale.

OIGNONS GRILLÉS

La marinade employée pour le *radicchio* grillé (voir ci-dessus) vaut également pour les oignons. Couper les oignons en deux horizontalement ou en rondelles épaisses. (Si on les coupe en deux, on ôtera la peau après la cuisson.) Si les oignons coupés sont trempés 30 minutes dans un vinaigre de bonne qualité avant d'être grillés, ils seront moins âcres. Badigeonner les oignons de marinade et faire griller sur un feu doux à modéré (ou sur le côté du feu), en les retournant et en les arrosant régulièrement. Étonnamment longs à cuire (plus d'une heure), les oignons doivent être complètement tendres et leurs bords caramélisés.

LE TEMPS PASSÉ
EST DU TEMPS

SANS AMOUR

PERDU.

T. TASSO AMINTA

ÉPINARDS AU CITRON, À L'AIL ET AUX PIGNONS DE PIN

CI-DESSUS Nous nous sommes demandé qui était cette sauvageonne portant des branches de citronnier.

STEPHANIE Vers la fin de notre séjour à la Villa di Corsano, je me suis aperçue que les arbres gigantesques qui bordaient la cour de gravier où nous garions les voitures étaient des pins parasols. Dans le gravier, on trouvait des pignons de pin, certains encore enfermés dans leurs pommes de pin et d'autres répandus sur le sol, pour le plus grand régal de nombreux adorables écureuils aux yeux brillants et à la queue sombre et soyeuse.

À la Cantinetta Antinori de Florence, ce plat nous a été servi sur des *crostini* avec du *cavolo nero*, ce délicieux chou toscan de couleur sombre.

2 gousses d'ail finement émincées
1/2 tasse d'huile d'olive vierge extra
6 poignées de petites feuilles d'épinard équeutées
1 trait de jus de citron ou d'orange
poivre noir fraîchement moulu
2 cuil. à soupe de pignons de pin ou d'amandes effilées grillés

Faire sauter l'ail dans 2 cuil. à soupe d'huile d'olive, ajouter les épinards et remuer jusqu'à ce qu'ils aient fondu. Bien égoutter les épinards, remettre dans la casserole et ajouter un bon trait de jus de citron ou d'orange, le reste de l'huile d'olive et un peu de poivre. Parsemer de pignons de pin ou d'amandes et servir.

POUR 6 PERSONNES

RAPE AU CITRON ET À L'AIL ÉTUVÉE À L'HUILE

Les *rape*, encore appelées *broccoletti di rape* ou *rapini*, ont un léger goût de noisette et sont délicieuses sautées avec de l'ail et de l'huile d'olive, tout comme les épinards. Nous avons servi ce plat pour accompagner de la viande grillée et, une autre fois, Maggie a haché assez finement des *rape* blanchies avant de les étuver comme décrit ci-dessus et d'y ajouter quatre anchois.

Laver très soigneusement 600 g de *rape* en jetant les tiges et les feuilles abîmées, puis couper en tronçons de 5 cm de longueur. Faire blanchir les *rape* dans une casserole d'eau bouillante et égoutter. Exprimer tout excès d'eau. Peler un citron et couper le zeste en lanières de 2 cm de largeur. Faire dorer lentement l'ail dans un peu d'huile d'olive, ajouter les *rape* égouttées et le zeste, et faire cuire jusqu'à ce que les ingrédients soient tendres. Saler, poivrer et servir.

AIL GRILLÉ

STEPHANIE ❧ Tony nous a servi à chacun une tête d'ail entière grillée pour accompagner une *bistecca alla fiorentina* (voir page 23). Il a découpé le haut de chaque tête, comme pour un œuf à la coque, faisant apparaître les gousses bien tendres. Si, comme moi, vous trouvez cet ail grillé irrésistible, il deviendra l'accompagnement nécessaire de tous vos barbecues. Il est délicieux aussi avec du poulet rôti, du fromage de chèvre ou de brebis et du pain, et toute une gamme de légumes grillés.

têtes d'ail entières
huile d'olive vierge extra

Blanchir l'ail environ 15 minutes dans de l'eau bouillante, jusqu'à ce qu'une pique traverse facilement la peau. Égoutter, essuyer, badigeonner d'huile d'olive et faire griller 15 à 20 minutes, jusqu'à ce qu'il soit tendre. Pour servir, couper en deux ou découper un « chapeau ».

COURGETTES AU BEURRE CHAUD ET SAUCE À L'ANCHOIS

STEPHANIE ❧ La gamme de courgettes trouvées sur le marché était fabuleuse : les unes fines, longues et côtelées, d'autres toutes rondes, de la taille d'une balle de golf ou de tennis. Pour un repas, j'ai simplement arrosé d'huile d'olive de minuscules courgettes cuites à l'eau. Elles étaient légèrement visqueuses car, venant d'être cueillies, leur sève coulait encore. Les queues étaient presque croquantes et la saveur était sensationnelle.

6 petites courgettes
60 g de beurre
6 anchois finement hachés
2 cuil. à soupe de persil plat grossièrement haché

Faire cuire les courgettes 5 minutes dans l'eau et égoutter. Faire légèrement fondre le beurre dans une casserole, incorporer les anchois et faire cuire 1 à 2 minutes. Émincer les courgettes et dresser sur une assiette chaude. Napper de la sauce et parsemer du persil.

POUR 2 PERSONNES

PASTA

Maggie a également employé cette recette pour accompagner des pâtes, en omettant le beurre et en incorporant aux pâtes 500 g de *ricotta* et un trait d'huile d'olive vierge extra.

SALADE DE TRIPES DE LA FATTORIA DE TAVERNELLE

CI-DESSUS Lors de notre dernier stage, nous avons acheté des rognons blancs de taureau chez le tripier : celui-ci était ravi de notre audace ! Nous les avons pochés quelques minutes, puis émincés et nous avons fait frire les lamelles dans du beurre noisette avec du jus de citron et du poivre. Simon, Colin, Tony et Elena se sont abstenus. Mais de nombreux stagiaires les ont goûtés pour gagner un pari avec la cuisinière. Verdict : un peu comme des ris, avec un arrière-goût de rognon.

PAGE CI-CONTRE Au marché de Florence, on nous a fait goûter un succulent *prosciutto*, ainsi que des produits très fins présentés sur des *crostini*. Les commerçants ne semblaient jamais déçus si nous n'achetions pas après avoir goûté.

STEPHANIE Au marché de San Lorenzo, les étals de tripes fascinaient tout le monde : morceaux bordés de franges, intestins, rates, testicules et une partie dont on nous a expliqué qu'il s'agissait des glandes mammaires de jeunes génisses. Même pour un grand amateur de tripes comme Maggie, le spectacle n'était pas très appétissant à 10 heures du matin.

Après avoir inspecté tous ces étals, nous avons déjeuné à notre restaurant des jours de marché, la Fattoria de Tavernelle, où nous avons commandé un plat de tripes, la *trippa* étant une spécialité toscane. L'ensemble du repas, qui incluait du lapin préparé avec du raisin à vin, un *cartoccio* de *porcini* et de la *pancetta*, était bon, mais la salade de tripes fit l'unanimité, suivie de près par une délicate génoise à la *ricotta* (voir page 160).

À la Fattoria, les tripes fraîches et très bien nettoyées sont cuites pendant 3 à 4 heures. Employez des tripes plus tendres.

tripes
oignon
carotte
feuille de laurier
tomate en dés
oignon rouge finement émincé
céleri finement émincé
poivron rouge finement haché
bulbe de fenouil finement haché
persil plat grossièrement haché
huile d'olive vierge extra
vinaigre de vin
sel
poivre noir fraîchement moulu

Faire cuire les tripes avec l'oignon, la carotte et une feuille de laurier pendant environ 1 heure, jusqu'à ce qu'elles soient tendres. Égoutter en réservant un peu de liquide. Émincer finement les tripes et mélanger avec les dés de tomates, un petit oignon rouge et un peu de céleri, de poivron, de fenouil et de persil. Arroser la salade chaude d'une bonne quantité d'huile d'olive, d'une cuillerée du liquide réservé et de quelques gouttes de vinaigre de vin. Rectifier l'assaisonnement et laisser refroidir. Servir à température ambiante.

ANE DI MONTEGEMOLI
COTTO A LEGNA

POULPE BRAISÉ AUX TOMATES ET AUX OLIVES VERTES

CI-DESSOUS Il faut d'abord battre vigoureusement le poulpe. S'il n'a pas été attendri de cette façon, il sera dur comme du caoutchouc après la cuisson : renseignez-vous auprès du poissonnier. Au niveau industriel, ce processus est exécuté par des machines. Peter en a perdu son italien lorsqu'il a demandé au poissonnier si le poulpe avait déjà été battu. Nous étions mal à l'aise. En rentrant à la villa, il ne nous restait plus qu'à utiliser les marches de l'escalier. Nous n'avons pas réussi à attendrir le poulpe en l'enveloppant dans un linge : il a donc fallu le prendre par les tentacules et y aller hardiment.

STEPHANIE Maggie nous a montré comment accommoder l'un de ces monstres des profondeurs de couleur rouge rosé et bronze : le poulpe. Elle l'a fait griller un instant de chaque côté sur le feu puis mijoter à couvert dans une casserole contenant de l'huile d'olive. Après l'avoir émincé, elle l'a mélangé avec des tomates fraîches et des olives et l'a servi pour accompagner une friture de poissons.

Si vous ne trouvez pas de tomates aussi petites et parfaites que celles que nous avons achetées au marché, il est préférable de les peler et de les épépiner.

1 poulpe de 2 kg, nettoyé et attendri
1/2 tasse d'huile d'olive vierge extra
500 g de tomates mûres épépinées et hachées
125 g de grosses olives vertes
feuilles de basilic grossièrement hachées
sel
poivre noir fraîchement moulu

VINAIGRETTE
huile d'olive vierge extra d'excellente qualité
1 jus de citron
poivre noir fraîchement moulu

Bien essuyer le poulpe à l'aide de papier absorbant. Ouvrir et ôter le bec corné et la partie anale. (si le poulpe n'a pas été nettoyé, retrousser le corps et ôter les organes internes et la poche à encre). Bien rincer et essuyer (si vous venez de le nettoyer, remettez le corps à l'endroit). Dans une sauteuse profonde à fond épais, faire chauffer l'huile d'olive jusqu'à ce qu'elle commence à fumer. Prendre le poulpe par les tentacules et plonger la tête dans la sauteuse pour saisir la chair. Mettre les tentacules dans la sauteuse et faire saisir pendant 3 minutes. Sortir le poulpe et répéter l'opération sur l'autre face. Lorsque le tout est bien saisi, couvrir et faire cuire sur feu extrêmement bas pendant 30 à 45 minutes, jusqu'à ce que la chair soit tendre au toucher. (Le temps de cuisson varie énormément : cela dépend si le poulpe a été bien attendri. Il nous a fallu 15 minutes de cuisson, mais notre poulpe avait été bien « battu ».) Laisser refroidir dans les sucs de cuisson.

Mettre les tomates et les olives dans un saladier, ajouter un peu de l'huile d'olive de la vinaigrette, du basilic, du sel et du poivre. Préparer une bonne quantité de vinaigrette (ne pas ajouter de sel, la peau du poulpe est bien salée). Lorsque le poulpe est assez froid pour être manipulé, l'émincer et ajouter à la vinaigrette. Verser le tout dans le saladier et bien mélanger avant de servir.

RAGOÛT DU PÊCHEUR À LA GREMOLATA

PAGE CI-CONTRE Le ragoût du pêcheur à la *gremolata* réunit toutes les effluves que nous offre une mer généreuse.

Les noms des poissons ne nous disant rien, nous devions nous en remettre au poissonnier. Une fois qu'il a eu compris quel plat nous voulions préparer, il a choisi un assortiment de poissons tandis que nous nous contentions de lui indiquer les quantités. Nous avons acheté des *spigole o branzino*, des *pagelli o fragolino* et de la lotte, appelée *coda di rospo* (« queue du crapaud »).

2 kg de moules grattées et ébarbées
1 tasse de vin blanc
20 fines tranches de pain
1 gousse d'ail
huile d'olive
20 morceaux de dorade de 70 g
20 morceaux de poisson à chair ferme de 70 g
10 petits calamars coupés en anneaux

FUMET DE BASE

1 kg de petits poissons nettoyés et hachés
2 têtes de poisson nettoyées et hachées
500 g de parures de poissons nettoyées et hachées
3/4 de tasse d'huile d'olive vierge extra
1 bulbe de fenouil haché
2 oignons hachés
2 branches de céleri hachées
6 gousses d'ail hachées
2 carottes hachées
1 cuil. à café de graines de fenouil
1/2 cuil. à café de safran en poudre
3 l de brodo de poisson (voir page 211) ou d'eau
2 kg de tomates mûres pelées, épépinées et concassées
1 pincée de safran en filaments
1 piment rouge
sel et poivre noir fraîchement moulu

GREMOLATA

poivre noir fraîchement moulu
1/2 tasse de persil plat fraîchement haché
2 zestes de citron finement râpés
1 cuil. à café d'ail finement haché

Pour le fumet de base, faire revenir rapidement les petits poissons, les têtes et les parures dans 1/2 tasse d'huile d'olive, puis ajouter le fenouil, l'oignon, le céleri, l'ail, la carotte, les graines de fenouil et le safran en poudre. Faire sauter 5 minutes, puis ajouter le *brodo* ou l'eau. Laisser frémir à petits bouillons pendant 20 minutes, puis passer tout le contenu de la casserole dans un moulin à légumes muni d'une grille moyenne, au-dessus d'une jatte. Mouliner le plus possible pour extraire le maximum de saveur.

Dans une autre casserole, faire cuire les tomates dans le reste de l'huile jusqu'à ce que le liquide soit pratiquement évaporé. Mouliner le contenu de la casserole, en le pressant bien à travers les trous, et ajouter au fumet de base. Transférer le fumet dans une casserole, ajouter les filaments de safran et le piment entier et faire mijoter 10 minutes.

Dans une autre casserole, faire ouvrir les moules dans le vin blanc. Égoutter les sucs de cuisson et ajouter au fumet. Réserver les moules. Goûter le fumet, ajouter du sel et du poivre si nécessaire et, s'il est assez relevé, ôter le piment.

Préchauffer le four à 200 °C. Frotter les tranches de pain avec la gousse d'ail coupée, puis badigeonner d'un peu d'huile d'olive. Faire dorer 5 minutes au four.

Environ 5 minutes avant de servir, mettre les poissons sur une seule couche dans une grande casserole, couvrir de fumet et faire cuire. Dans une autre casserole, faire de même avec les calamars. Dans une troisième casserole, réchauffer les moules. Préparer la *gremolata* en mixant tous les ingrédients.

Répartir le poisson, les fruits de mer et le fumet entre des bols préchauffés et napper de *gremolata*. Suggérer aux convives de tremper le pain aillé grillé dans la soupe.

POUR 10 PERSONNES

SARDINES

Les sardines que nous achetions chez les poissonniers de Florence et de Sienne étaient toujours très bon marché et fraîches. Nous les avons servies en beignets pour accompagner un *risotto* au *radicchio* cuit avec du fumet de poisson (voir page 93), mais aussi en feuilles de vigne et grillées.

Pour préparer les sardines, couper les têtes, fendre le ventre et sortir les viscères. Ouvrir les poissons à plat et ôter l'arête centrale à l'aide de ciseaux de cuisine. Rincer les poissons sous l'eau froide et gratter toutes les écailles. Essuyer à l'aide de papier absorbant et réfrigérer jusqu'à l'emploi.

Pour faire cuire les sardines, les plonger dans la pâte (voir page 143) et les faire cuire en pleine friture ou bien les enrober de farine assaisonnée ou d'œuf battu et de chapelure et les faire frire dans de l'huile d'olive et du beurre. Cuites de cette façon, les sardines peuvent également être farcies d'une simple pâte faite de mie de pain fraîche, de zeste de citron râpé et de persil ou de feuilles de fenouil hachées, avant d'être badigeonnées d'œuf.

De retour à la maison : où mettre toutes ces victuailles ?

L'olivier est au centre de la vie toscane. C'est l'arbre de tous les paysages, planté dans des oliveraies bien organisées ou intercalé parmi

les vignes et les champs de céréales qui sont la base de la cuisine régionale. Même les meilleures exploitations vinicoles produisent leur propre huile d'olive mise en bouteilles sur place.

L'oliveraie

Pain perdu d'Elena

PAGE CI-CONTRE Détail d'une œuvre du Museo Civico, à San Gimignano.

Aucun d'entre nous n'aimant le gaspillage, Elena a inventé ce plat pour utiliser les restes de *cornetti* du petit déjeuner. Coupé en tranches et réchauffé au four pour le petit déjeuner, il était délicieux. Mais frit dans un peu de beurre, poudré de sucre à la cannelle et accompagné de *mascarpone* ou de crème épaisse, un vrai régal !

Pour confectionner son propre sucre vanillé, il suffit de mettre une gousse de vanille dans un bocal et de remplir celui-ci de sucre semoule. Le goût et le parfum de la vanille imprègnent très rapidement le sucre.

beurre
3 tasses de lait
300 ml de crème
6 œufs
100 g de sucre semoule ou de sucre vanillé
2 gouttes de vanille pure
1/4 de tasse de Xérès (facultatif)
8 cornetti ou croissants

Préchauffer le four à 170 °C et bien beurrer un moule carré de 22 cm de côté. Porter le lait et la crème à petit frémissement dans une casserole à fond épais. Fouetter les œufs et le sucre pour obtenir un mélange mousseux, puis incorporer le lait et la crème chauds en fouettant. Remettre le mélange dans la casserole rincée, avec la vanille (sauf si vous avez employé du sucre vanillé). Faire cuire sur feu moyen en remuant sans cesse à la cuillère en bois, jusqu'à ce que le mélange nappe le dos de la cuillère. Incorporer le Xérès, le cas échéant, et tamiser la crème anglaise au-dessus d'un bol.

Casser les pâtisseries en petits morceaux, ajouter à la crème anglaise et laisser tremper pendant 5 minutes. Verser la préparation dans le moule beurré et remuer légèrement pour répartir de façon égale les pâtisseries et la crème anglaise. Mettre le moule au bain-marie et faire cuire environ 1 heure, jusqu'à ce que le dessert soit ferme au toucher. Laisser refroidir complètement avant de découper.

POUR 8 PERSONNES

SALADE CAPRESE

CI-DESSUS ET PAGE CI-CONTRE
Au marché San Lorenzo de Florence, on trouvait partout des montagnes de tomates en partie vertes sur lesquelles était planté un écriteau indiquant « *pomodori insalata* » (tomates pour salade).

STEPHANIE On a souvent du mal à se procurer des tomates parfaites, bien rouges et sucrées. En Italie, il y en avait partout. Mais les Italiens (et les Grecs) apprécient aussi l'acidité, le juteux et la douceur différente des variétés de tomates qui, bien que mûres, ne sont pas complètement rouges. Ces tomates en partie vertes sont idéales pour la salade *caprese*, tandis que les autres conviennent mieux à la *bruschetta*, aux sauces et aux conserves.

Chris Butler, qui habitait autrefois à Adelaïde, appartient aujourd'hui au *Movimento internazionale per la cultura dell'olio di oliva*. À chacun de nos stages, il venait expliquer à nos élèves tout ce qu'il savait sur l'huile d'olive. Il nous a appris que peu de gens savaient reconnaître les défauts courants dans la plupart des huiles d'olive. Sous sa surveillance avisée, nous avons dégusté des huiles sans défaut, l'une toscane, très fruitée, et l'autre plus douce. Pour faire la différence, nous avons également goûté une huile achetée le jour même au supermarché et une autre, exécrable, d'origine inconnue. Toutes portaient la mention « vierge extra ». Les deux dernières étaient rances et oxydées et l'une d'elles avait même un goût de « stérilisé ». La plupart des gens savent reconnaître un beurre rance, un lait tourné ou un vin bouchonné. En ce qui concerne ce produit de consommation courante qu'est l'huile, nous en sommes incapables.

Achetez une huile de première qualité et vous comprendrez pourquoi des plats comme cette salade *caprese* et la *panzanella* (voir page 181) sont l'objet de tant d'éloges. L'huile contribue autant au plat que les tomates et équilibre l'acidité des tomates et le mordant du basilic.

Cette salade doit être préparée juste avant de servir : si le fromage est aussi frais qu'il se doit et s'il attend, il va « couler » et diluer l'huile, ce qui va par ailleurs affecter l'esthétique du plat. Au marché de Florence, la *mozzarella* au lait de bufflonne était si fraîche qu'elle était emballée dans des feuilles pour rester ferme et magnifique !

1 cuil. à soupe de petites câpres
6 feuilles de basilic
120 g de mozzarella au lait de bufflonne fraîche émincée en lamelles
4 tomates mûres en partie vertes coupées en rondelles
1/4 de tasse d'huile d'olive vierge extra
poivre noir fraîchement moulu
sel

Rincer les câpres sous l'eau chaude et bien égoutter. Couper chaque feuille de basilic en 2 ou 3 morceaux. Dresser la *mozzarella* et les rondelles de tomates et répartir les morceaux de basilic. Ajouter l'huile d'olive, poivrer et saler. Parsemer la salade des câpres et servir.

POUR 4 PERSONNES

VITELLO TONNATO

Au marché de Florence, le veau était une véritable vedette. De texture ferme, la viande de couleur rosée présentait un fin voile de graisse. Sa qualité était extraordinaire.

Il existe bien des versions de ce plat classique. Il est idéal lorsque les convives sont nombreux car il suffit de multiplier les quantités. De plus, il peut se préparer à l'avance : le veau peut rester dans sa sauce pendant 24 heures. Dans ce cas, il faut le couvrir de film alimentaire pour que la sauce ne s'oxyde pas trop. Si l'on souhaite conserver le plat au réfrigérateur pendant une journée, il est préférable de réserver un peu de sauce pour l'ajouter à la fin, juste avant la décoration. Il faut sortir le plat du réfrigérateur et le laisser à température ambiante pendant 30 minutes.

2 noix de veau de 750 g
4 anchois coupés en morceaux
1 oignon émincé en rondelles
1 branche de céleri émincée
1 carotte coupée en rondelles
3 gousses d'ail
1 feuille de laurier
1 brin de romarin
2 brins de persil plat
1 citron 1/2
1/2 tasse de vin blanc sec
eau
anchois supplémentaires
olives
câpres

SAUCE
150 g de thon à l'huile d'olive égoutté
1 cuil. à soupe de câpres rincées et égouttées
4 anchois
1 tasse 1/2 de mayonnaise (voir page 213)
sel
poivre blanc
jus de citron (facultatif)

Inciser la viande de toutes parts à l'aide d'un couteau pointu et insérer les morceaux d'anchois dans les fentes. Choisir une grande sauteuse ou une cocotte en fonte dans laquelle la viande sera relativement serrée. Mettre la viande, les légumes, l'ail et les herbes dans la sauteuse et ajouter 1/4 de citron. Verser le vin et couvrir d'eau à hauteur. Laisser mijoter très doucement jusqu'à ce l'on puisse planter une pique sans difficulté dans la viande. Il faut compter 1 h 30 à 2 heures de cuisson. Tamiser le liquide de cuisson, remettre la viande dedans, laisser refroidir, puis réfrigérer une nuit au moins, et jusqu'à 2 jours.

Pour la sauce, passer le thon, les câpres et les anchois au mixeur pour obtenir une pâte onctueuse. Ajouter la mayonnaise. Si la sauce est plus épaisse que de la crème, l'allonger avec un peu du liquide de cuisson du veau. Rectifier l'assaisonnement : il faudra peut-être quelques gouttes de jus de citron.

Sortir le veau de son liquide de cuisson et le débarrasser de tout bouillon pris en gelée. Napper de sauce un grand plat de service. Émincer finement la viande et dresser une couche de tranches sur la sauce, en les faisant se chevaucher. Napper de sauce, ajouter une couche de viande et répéter l'opération en terminant par de la sauce. Émincer finement le reste du citron et décorer l'assiette avec des anchois, des olives et des câpres.

POUR 6 À 8 PERSONNES

RESTES

S'il reste de la sauce, on peut la mélanger avec des jaunes d'œufs durs et remplir les blancs pour ajouter à la salade de cœurs de céleri (page 128) ou les servir tels quels. Le bouillon de cuisson peut être employé comme base pour une soupe toute simple.

CI-DESSOUS Déjeuner d'été composé de *vitello tonnato*, précédé par du pain et de la *ricotta* fraîche de la ferme Bischi (voir page 160), servis avec de la roquette sauvage et de la bourrache.

LE

SALADE DE CŒURS DE CÉLERI, DE ROMAINE ET D'OLIVES

PAGE CI-CONTRE Les marchands d'olives du marché San Lorenzo proposaient au moins vingt-cinq variétés d'olives différentes. À chacune de nos visites, nous en avons essayé une nouvelle.

D'un vert brillant, cette salade forme un ravissant contraste avec le *vitello tonnato* de la page 126. On peut employer tous les types d'olives : noires, vertes, douces ou pimentées. On peut également ajouter de petits radis, en rondelles ou entiers, et un fenouil cru émincé.

Cette salade peut par ailleurs servir de base pour un buffet élaboré. Imaginez des tronçons de poisson pochés, des moules, des pommes de terre à l'eau chaudes et des cœurs d'artichauts, le tout arrosé d'une huile d'olive merveilleusement fruitée, d'un trait de vinaigre de vin rouge, peut-être, et parsemé d'oignons rouges doux coupés en très fins dés.

2 bottes de céleri
2 romaines
huile d'olive vierge extra
vinaigre de vin rouge
sel
poivre noir fraîchement moulu
6 œufs durs
1/2 tasse d'olives noires
1/4 de tasse de persil plat fraîchement haché

Ôter les tiges externes des branches de céleri et réserver pour un autre plat. Ôter les feuilles externes des romaines et réserver pour un autre emploi (pour confectionner la *zuppa pavese* de la page 38, par exemple) et mettre les autres dans un grand saladier. Ôter toute partie décolorée des cœurs de céleri. Émincer finement les feuilles internes et les feuilles jaune pâle ainsi que la partie solide de chaque cœur, ajouter dans le saladier et remuer.

Préparer la vinaigrette avec l'huile d'olive et le vinaigre, assaisonner et verser sur la salade. Bien mélanger avec les mains, en soulevant et en retournant les ingrédients. Écaler les œufs durs et couper en rondelles épaisses. Disposer la salade sur un grand plat, répartir les rondelles d'œufs durs et les olives et parsemer du persil haché.

POUR 6 PERSONNES

OLIVE
4. etti
3500 LIRE
SALAMOIA
EURO FRU. VER
FAVOLOSE

CROSTINI AU FROMAGE

PAGE CI-CONTRE Au marché San Lorenzo, les étals des fromagers étaient couverts de « murs » de fromages : partout, des meules de *parmigiano-reggiano* coupées pour que le chaland admire l'intérieur cireux et craquelé, par contraste avec le *provolone* et le *pecorino*, à la pâte plus onctueuse.

Les *crostoni* et les *crostini* sont des tranches de pain qui ont été soit grillées, soit frites dans de l'huile d'olive ou du beurre, soit dorées au four. La diversité des garnitures dont on peut les tartiner est pratiquement illimitée. Un petit reste de la veille, éventuellement lié avec une bonne sauce béchamel, est bien souvent parfait.

Hors de la Toscane, il convient de choisir un pain à croûte fine, comme la baguette, et de le couper en tranches de 5 mm d'épaisseur.

12 tranches de baguette
huile d'olive ou beurre fondu
100 g de provolone *fraîchement râpé*
50 g de mozzarella fraîchement râpée
50 g de parmigiano-reggiano fraîchement râpé
1/4 de quantité de sauce béchamel de la page 40
1 jaune d'œuf
sel
poivre noir fraîchement moulu

Préchauffer le four à 200 °C. Badigeonner les tranches de pain d'huile d'olive ou de beurre fondu et faire griller 5 minutes au four, jusqu'à ce qu'elles soient dorées.

Incorporer les fromages à la sauce béchamel. Battre légèrement le jaune d'œuf dans un autre bol, puis incorporer la béchamel aux fromages. Vérifier l'assaisonnement. Tartiner les tranches de pain avec ce mélange. Faire cuire environ 5 minutes au four, jusqu'à ce que les fromages forment des bulles. Laisser refroidir quelques minutes avant de déguster car la béchamel est très chaude.

POUR 12 CROSTINI

GARNITURES

Voici quelques suggestions de garnitures : foie de poulet (voir page 46) ; champignons émincés, sautés et mélangés avec des herbes fraîches ; pâte d'olives obtenue en mixant de la chair d'olive, des câpres, des anchois et quelques gouttes de jus de citron ; purée de haricots blancs (voir page 173) ; épinards fondus avec de l'ail, du jus de citron et de l'huile d'olive vierge extra (les Toscans remplacent les épinards par du *cavolo nero*, leur chou noir).

En Italie,

une MEULE ENTIÈRE

de *parmigiano-reggiano*

peut à elle seule

garantir un prêt.

RISSINI

CI-DESSOUS Elena nous a montré comment confectionner les *grissini* et plonger les bâtonnets dans l'huile d'olive additionnée de graines de fenouil avant de les cuire au four.

PAGE CI-CONTRE Figues grillées enveloppées dans de la *pancetta* et accompagnées d'olives et de *grissini*.

Nous avons préparé des *grissini* (gressins) pour accompagner le *pinzimonio* de la page 134, mais aussi pour servir avec le *salame finocchiona* local (un délicieux saucisson aromatisé au fenouil). Nous avons enroulé les *grissini* dans des tranches de saucisson et les avons servis en *antipasto*, avec des olives noires fripées et des *crostini* aux haricots blancs (voir page 173).

huile d'olive
ail finement haché
graines de fenouil
sel
poivre noir fraîchement moulu

PÂTE
250 g de farine non blanchie
1 cuil. à café de sel
2 cuil. à café de levure sèche
1 cuil. à café de miel
1 cuil. à soupe d'huile d'olive
1/2 tasse d'eau

Pour la pâte, mélanger tous les ingrédients et bien pétrir pour obtenir une pâte souple et homogène. Mettre dans un saladier légèrement huilé, couvrir d'un linge et laisser reposer environ 1 heure, à l'abri des courants d'air, jusqu'à ce que la pâte ait doublé de volume. Écraser la pâte avec les paumes des mains, reformer la boule et laisser doubler de volume une nouvelle fois, pendant environ 30 minutes.

Pendant ce temps, préchauffer le four à 180 °C. Diviser la pâte en morceaux de la taille d'une noix et former des rouleaux de 25 cm de longueur environ. Verser l'huile d'olive dans un plat creux, ajouter de l'ail haché, des graines de fenouil, du sel et du poivre et tremper chaque *grissino* dans le mélange. Fariner une tôle à four, ranger les *grissini* en les espaçant bien et faire cuire au four pendant 15 minutes jusqu'à ce qu'ils soient dorés.

POUR 30 *GRISSINI*

PINZIMONIO

CI-DESSUS Les radis que nous avons achetés au marché de Florence étaient parfaits : petits, tendres et pas trop piquants. Un marchand insistant nous a expliqué que les bulbes de fenouil ronds étaient des mâles et les plus fins des femelles et que seuls les mâles étaient suffisamment bons pour le *pinzimonio* !
Nous avons servi le *pinzimonio* avec l'excellente huile d'olive fruitée d'Ann, qui avait reçu l'agrément de Chris Butler. Elle nous a également fourni une bouteille de son vinaigre de vin rouge : il surpassait de loin tous ceux que nous avions déjà goûtés.

MAGGIE ❧ J'ai toujours adoré l'huile d'olive et nos neuf semaines en Toscane ont renforcé cette passion. La vie est trop courte pour se contenter d'une mauvaise huile ! Sentir et goûter l'huile d'olive, distinguer sa diversité de parfums et de saveurs est devenu notre tout premier plaisir en commençant un repas, où que nous allions.

Le jour de notre arrivée, Ann nous a offert un énorme récipient de sa propre huile d'olive. C'était le dernier de l'année et, pourtant, l'huile était toujours aussi fraîche et « olivée », avec ce caractère mordant des huiles toscanes. Mais une seule excellente huile ne suffit pas. Chaque huile de domaine des exploitations qui nous fournissaient différait en complexité et en caractère les unes par rapport aux autres. Une ou deux d'entre elles étaient même un peu plus moelleuses que je ne m'y attendais, mais merveilleuses avec des plats aux saveurs plus délicates.

STEPHANIE ❧ Le *pinzimonio* est la version italienne des crudités françaises. Il s'accompagne toujours d'un flacon de la meilleure huile d'olive, de vinaigre de bonne qualité ou de jus de citron, d'un moulin à poivre et d'une soucoupe de sel marin. Le tout est magnifiquement présenté : des branches de céleri et leur plumet de feuilles côtoient bulbes de fenouil, oignons nouveaux, minuscules courgettes, jeunes cœurs d'artichauts, tomates, radis et tout autre légume croquant se mangeant cru. Des asperges blanchies s'y mêlent parfois.

BETTE AUX RAISINS

Le premier jour des vendanges, Elena a cueilli quelques belles grappes de raisin, qu'elle a fait étuver avec des bettes.

2 bottes de bettes
sel
2 cuil. à soupe d'huile d'olive vierge extra
2 gousses d'ail finement émincées
250 g de raisin à vin épépiné ou de raisin noir de table sans pépins
poivre noir fraîchement moulu

Ôter les feuilles des bettes, rouler et couper en julienne. Ôter les parties filamenteuses des côtes et couper le reste en tronçons de 6 x 2 cm. Porter à ébullition une casserole d'eau à peine salée et faire cuire les côtes 2 minutes. Égoutter et bien exprimer l'eau. Faire chauffer l'huile d'olive et l'ail sur feu modéré et faire cuire les côtes 5 minutes à couvert. Ôter le couvercle et ajouter les feuilles et les raisins. Faire cuire 5 minutes, jusqu'à ce que le liquide soit sirupeux. Rectifier l'assaisonnement. Servir avec du poulet rôti.

POUR 6 PERSONNES

POULET DE GRAIN, POMMES DE TERRE ET LAURIER

Une fois que nous avons eu compris la différence entre une poule et un poulet, nous avons fait quelques repas mémorables. Les poulets étaient absolument délicieux : teintés de jaune, les blancs étaient très parfumés et tendres. La veille encore les volatiles étaient-ils peut-être en train de gratter le sol comme ceux que nous voyions en marchant à travers l'oliveraie.

Nous avons servi ce poulet avec de la bette aux raisins (voir page 134), dont nous avons placé les côtes, les feuilles et les raisins sur le poulet.

CI-DESSUS Sur le marché, les poulets étaient vendus entiers, avec tête et pattes. Le marchand en connaît aussi bien le sexe que l'âge alors que, dans un supermarché, on n'est sûr de rien.

2 poulets de grain de 1,8 kg chacun
1 citron coupé en 4 rondelles épaisses
2 feuilles de laurier fraîches
1/4 de tasse d'huile d'olive vierge extra
sel
poivre noir fraîchement moulu
6 grosses pommes de terre coupées en quatre
12 grosses gousses d'ail non pelées
2 cuil. à soupe de verjus
1 tasse de brodo de poule (voir page 210)

Préchauffer le four à 220 °C. Couper chaque poulet de part et d'autre de la colonne, ôter celle-ci, puis le bréchet, en laissant la peau dépassant du cou. Rabattre la peau couvrant les blancs et placer sur chaque blanc 1 rondelle de citron et une 1/2 feuille de laurier. Remettre la peau en place et essuyer le poulet. Badigeonner les volailles de 2 cuil. à soupe d'huile salée et poivrée.

Essuyer les pommes de terre et les rouler dans le reste de l'huile contenant les gousses d'ail non pelées. Répartir les pommes de terre et l'ail dans le fond d'une lèchefrite. Poser les poulets bien à plat sur les pommes de terre, peau au-dessus, et faire rôtir 40 minutes. Sortir la lèchefrite du four et détacher les pommes de terre et l'ail du fond. Réduire la température à 200 °C et remettre la lèchefrite au four pendant 15 minutes. Vérifier la cuisson en plantant la pointe d'un couteau dans le poulet : si le liquide qui s'écoule est incolore, il est cuit. Transférer le poulet sur un plat préchauffé et couvrir de papier d'aluminium ; déposer les pommes de terre sur une plaque allant au four si on les souhaite plus croustillantes.

Placer la lèchefrite sur le feu et porter à ébullition en grattant bien le fond. Ajouter le verjus et le *brodo* et faire bouillir pour obtenir une sauce bien parfumée. Découper les poulets et les remettre dans le plat avec les pommes de terre et l'ail. Vérifier l'assaisonnement.

POUR 6 PERSONNES

TARTE AUX PRUNES D'ENTE ET AU MASCARPONE

PAGE CI-CONTRE Pour remédier à nos problèmes de pâte dus au beurre italien, Elena a confectionné une pâte brisée avec du blanc d'œuf à la place de l'eau. Ce fut très réussi.
Elle a mélangé 240 g de farine avec 180 g de beurre, puis incorporé 45 à 50 ml de blanc d'œuf (un blanc fait environ 30 ml). Elle a ensuite réfrigéré la pâte comme indiqué dans cette recette avant de la faire cuire à blanc.

La combinaison de la pâte croustillante, des superbes prunes et du fabuleux *mascarpone* italien (consistant, onctueux et de faible acidité) a fait de cette tarte un triomphe chaque fois que nous l'avons servie. Elle est pourtant si simple ! Mais la texture inhabituelle du beurre italien rendait périlleuse la confection de la pâte. De la couleur d'une crème tournée, le beurre était toujours mou. Nous avons dû refroidir la plaque de marbre avec des sacs de glaçons et travailler très vite.

Dans cette recette, on peut remplacer les prunes d'ente (ou d'Agen) par des quetsches, ou des reines-claudes pour une tarte dorée.

1 kg de prunes d'ente fraîches (environ 25)
sucre semoule
60 g de beurre coupé en dés
2 tasses de mascarpone
2 cuil. à café d'eau-de-vie de prune (facultatif)

PÂTE À LA CRÈME FRAÎCHE
200 g de beurre glacé et haché
250 g de farine
1/2 tasse de crème fraîche

Pour la pâte, passer le beurre et la farine au mixeur jusqu'à ce que le mélange ressemble à de la chapelure. Ajouter la crème et mixer jusqu'à ce que la pâte forme une boule. Envelopper de film alimentaire et réfrigérer pendant 20 minutes.

Abaisser la pâte et foncer un moule rond à fond amovible de 20 cm de diamètre. Réfrigérer le moule foncé pendant 20 minutes.

Préchauffer le four à 200 °C. Couvrir la pâte de papier d'aluminium, parsemer de haricots secs et faire cuire 15 minutes. Ôter l'aluminium et les haricots et remettre le moule dans le four 5 minutes de plus. Laisser le fond de tarte refroidir à température ambiante et augmenter la température du four à 210 °C.

Couper les prunes en deux et les dénoyauter. Disposer les prunes en une seule couche dans un plat à gratin et sucrer en fonction de l'acidité des fruits. Parsemer des dés de beurre. Faire cuire 20 minutes (les prunes doivent être cuites mais avoir conservé leur forme). Laisser reposer et réserver le jus.

Couvrir le fond de tarte de *mascarpone* (s'il est très épais, l'allonger avec l'eau-de-vie) et ranger les prunes (pour montrer l'intérieur doré des prunes d'ente, les placer face coupée au-dessus ; pour les quetsches, peu importe). Réduire en sirop le jus réservé et arroser la tarte. Servir sans attendre.

POUR 8 PERSONNES

FERRARI

DES COLLINES AUX

ET SI DOUCEMENT MODELÉES

CONTOURS BIEN DÉFINIS À MIDI

AU COUCHER DU SOLEIL...

EDITH WHARTON

Lorsque l'on voit un fermier fabriquer de la *ricotta* fraîche, les vaches se trouvant dans l'étable d'à côté, les oignons de l'année précédente et les tomates de la fin de l'été suspendus aux chevrons, près du *prosciutto* maison,

on comprend ce qu'est l'autarcie.

La ferme

FLEURS DE COURGETTE FARCIES

Il est préférable de farcir les fleurs mâles qui poussent sur la longue tige partant du centre de la plante portant les courgettes (les fleurs femelles produisent les courgettes : il serait vraiment dommage de les cueillir trop tôt). Sur les marchés italiens, ces magnifiques fleurs vendues en bottes font un hors-d'œuvre très populaire. On peut les préparer de façon assez sophistiquée ou, plus simplement, les plonger dans une pâte à beignet et les faire frire. En fait, quand elles sont vraiment fraîches, elles se suffisent à elles-mêmes.

Parmi les farces usitées, on peut citer les *bocconcini* finement hachés mélangés avec des anchois hachés ; la *mortadella* coupée en petits dés et mélangée avec de l'ail, de la chapelure, du persil, du *parmigiano-reggiano* fraîchement râpé et quelques gouttes d'huile d'olive ; la *ricotta* fraîche ou le fromage de chèvre frais mélangé avec des épinards ou des bettes hachés, le tout assaisonné de sel, de poivre et de muscade.

La pâte à frire indiquée ici est tout aussi bonne pour enrober de fines lamelles de courgettes bien tendres ou des sardines fraîches. Au Ristorante La Fattoria, à Tavernelle, nous avons également adoré des « sandwiches » à la sauge et aux anchois frits dans ce même type de pâte.

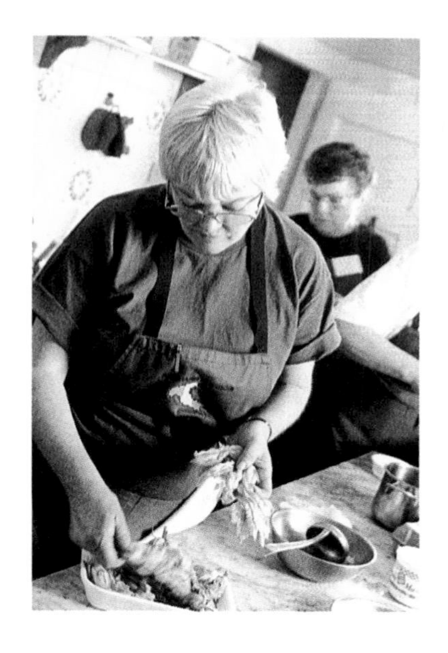

CI-DESSUS Farcir les fleurs de courgette. Un dimanche soir, nous nous sommes aperçus que nous n'avions ni *ricotta* ni *mozzarella*. Nous avons donc préparé à l'improviste une farce faite d'aubergine et de *parmigiano-reggiano*. Un autre jour, des fleurs de courgette accompagnées de *porcini* et de *polenta* grillés se sont avérées une excellente entrée avant un plat de lapin, l'un de nos préférés (voir page 146).

PAGE CI-CONTRE Quelques heures après leur cueillette, d'énormes piles de fleurs de courgette apparaissent sur les marchés.

huile d'olive
la farce de votre choix
12 fleurs de courgette

PÂTE
250 g de farine
1 cuil. à café de sel de mer
1/2 tasse d'huile d'olive
1 tasse 1/2 d'eau chaude
2 blancs d'œufs

Pour la pâte, mettre la farine et le sel dans une jatte et creuser une fontaine au centre. Mélanger l'huile d'olive et l'eau chaude et verser dans la fontaine. Travailler la pâte jusqu'à ce qu'elle soit onctueuse, puis laisser reposer au moins 1 heure. Monter les blancs d'œufs en neige ferme et incorporer à la pâte. Employer la pâte immédiatement.

Verser 3 cm d'huile d'olive dans une casserole et faire chauffer. L'huile est à bonne température lorsqu'un petit cube de pain plongé dedans brunit immédiatement. Placer un peu de farce dans chaque fleur et rabattre les pétales dessus. Plonger les fleurs farcies dans la pâte et faire dorer dans l'huile. Bien égoutter sur du papier absorbant, saupoudrer de sel de mer et servir sans attendre.

POUR 12 PERSONNES

GNOCCHI ET BEURRE NOISETTE À LA SAUGE

CI-DESSUS Un matin, trois d'entre nous avons marché jusqu'à une tour médiévale que nous apercevions au loin. Sur notre chemin, nous avons vu quantité de cyclamens sauvages, de crocus, de genévriers couverts de baies mûres et de haies envahies par les orties. Nous avons admiré de vieilles roues de moulin et des maisons de pierre désertées, nous avons marché le long de pieds de vigne disséminés. Nous avons cueilli de la roquette sauvage pour accompagner notre *vitello tonnato* (voir page 126) et trouvé de l'angélique près d'une église. Et puis, nous avons aperçu des traces de grattage dans le sol. Y avait-il eu là des *porcini* ou une truffe ? Mais notre imagination nous jouait des tours : il faisait bien trop sec dans cette partie de la Toscane.

PAGE CI-CONTRE *Gnocchi* ventrus, avec la plus simple des sauces : de la sauge croustillante et du beurre noisette.

MAGGIE ❧ Cela fait longtemps que je prépare des *gnocchi* à la maison, essayant tour à tour les recettes au beurre et celles à l'œuf. Je me suis aperçue qu'utiliser du beurre et pétrir la pâte rend les *gnocchi* bien plus légers. Mais ce n'est qu'en les préparant en Ombrie, pendant ces vacances qui ont été à l'origine de notre aventure toscane, que j'ai compris ce qui faisait la différence : la qualité des pommes de terre. En Italie, il en existe deux sortes, toutes deux à chair ferme et jaune, mais, malheureusement, elles sont vendues sans nom. Ma préférée était la plus petite et la plus colorée des deux.

200 g de farine
500 g de pommes de terre à chair ferme pelées
sel
175 g de beurre
poivre noir fraîchement moulu
1 poignée de feuilles de sauge
huile d'olive vierge extra
parmigiano-reggiano fraîchement râpé

Étaler la farine en forme de rectangle sur le plan de travail. Faire cuire les pommes de terre à la vapeur environ 15 minutes. Quand elles sont encore chaudes, les passer au moulin à légumes au-dessus de la farine. Saupoudrer de sel.

Faire fondre 50 g de beurre et en arroser les pommes de terre. Avec les mains, incorporer petit à petit la farine aux pommes de terre pour obtenir une pâte ferme. Pétrir doucement la pâte pendant 5 à 6 minutes (les temps indiqués sont importants). Diviser la pâte en quatre et former quatre longs rouleaux étroits de 1 cm de diamètre. Couper chaque rouleau en tronçons de 2,5 cm de longueur. Mettre un plat de service beurré dans le four préchauffé à 150 °C.

Une grande lèchefrite à fond épais, de 6 cm de profondeur, est parfaite pour pocher les *gnocchi*. Remplir la lèchefrite d'eau, saler et porter à ébullition. Augmenter le feu et glisser tous les *gnocchi* à la fois dans l'eau (si la lèchefrite est assez grande pour contenir tous les *gnocchi* sur une seule couche). Réduire le feu pour que l'eau ne bouille pas trop fort. Faire cuire les *gnocchi* pendant 1 minute une fois qu'ils sont remontés à la surface. Les sortir à l'aide d'une écumoire, les placer sur le plat de service chaud et assaisonner.

Faire rissoler les feuilles de sauge dans le reste du beurre avec un trait d'huile d'olive, sur feu moyen, jusqu'à ce que le beurre soit marron et la sauge croustillante. Il est important que la sauge soit croustillante sans que le beurre ne noircisse. Répartir le beurre et la sauge sur les *gnocchi* chauds et servir sans attendre, en hors-d'œuvre, avec du *parmigiano-reggiano* à part.

POUR 8 PERSONNES

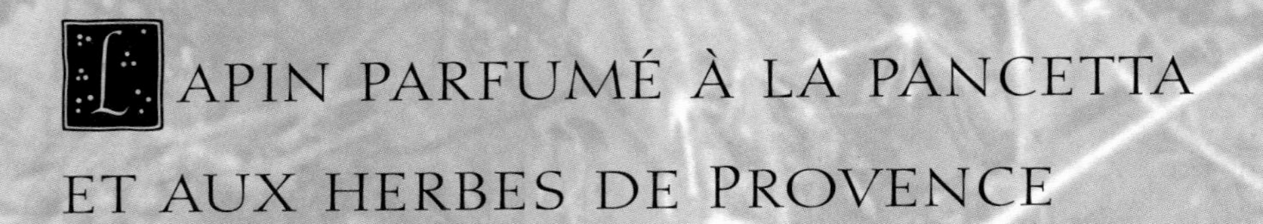

LAPIN PARFUMÉ À LA PANCETTA ET AUX HERBES DE PROVENCE

MAGGIE Le lapin est un mets très apprécié en Toscane. Un jour, nous avons dégusté un plat de lapin fantastique au Ristorante La Fattoria de Tavernelle. Le râble avait été désossé et farci avec le foie de l'animal, de la saucisse de porc et beaucoup d'herbes aromatiques, puis rôti. Il était servi en tranches, nappé d'une sauce faite avec des raisins du vignoble du restaurant. Le chef, qui avait fait précéder ce plat d'un sorbet à la sauge et au citron, s'y entendait en produits de saison.

Les lapins d'élevage que nous avons achetés au marché de Florence étaient de toute première qualité et de belle taille. Nous avons cuisiné ce plat de différentes façons en suivant chaque fois les trois étapes indiquées ci-dessous mais en variant les accompagnements. Nous l'avons servi une fois avec des oignons et de la *polenta* aux truffes achetée à Greve au cours d'une visite dans le Chianti ; une autre fois, nous l'avons accompagné de haricots *borlotti* frais ; et une troisième fois, de *rapini*, d'oignons et de *pancetta* cuits ensemble.

2 lapins d'élevage de 1,7 kg chacun (avec le foie et les rognons)
3 brins de thym
1 brin de romarin
huile d'olive
sel
poivre noir fraîchement moulu
verjus
16 tranches de pancetta
24 petits oignons pelés
1 tasse de brodo de poule (voir page 210)

Détacher les cuisses des lapins et réserver. Prélever les foies et les rognons et réserver. Dénerver les râbles. Effeuiller le thym et le romarin et hacher les feuilles. Badigeonner tous les morceaux de lapin, foies et rognons compris, d'une marinade d'huile d'olive, de sel, de poivre, de thym, de romarin et de 1 cuil. à soupe de verjus. Transférer le lapin et ses abats sur un plat et laisser mariner 1 heure à température ambiante.

Préchauffer le four à 200 °C. Faire revenir la *pancetta* à sec dans une poêle (ou au four) jusqu'à ce qu'elle soit croustillante, puis égoutter sur du papier absorbant. Choisir une grande lèchefrite pouvant contenir la viande sur une seule couche. Faire rôtir les cuisses arrière et les oignons pendant 15 minutes en les retournant, puis réserver. Faire rôtir les pattes avant pendant 6 minutes, en les retournant, puis réserver.

Placer la lèchefrite sur feu moyen. Déglacer avec 1/2 tasse de verjus, laisser bouillir et faire réduire. Ajouter le *brodo* et faire réduire à la consistance désirée. Couvrir la lèchefrite de papier d'aluminium et laisser reposer 30 minutes dans un endroit chaud.

Faire revenir légèrement les foies et les rognons dans une poêle contenant un trait d'huile d'olive. Diviser chaque râble en 4 morceaux. Détacher les muscles des cuisses avec les doigts et un couteau aiguisé pour séparer la viande de l'os. Réchauffer les morceaux de lapin au four pendant quelques minutes, avec le jus réduit, puis mélanger avec les oignons et la *pancetta*. Dresser sur un grand plat de service. Servir avec les foies et les rognons.

POUR 8 PERSONNES

Oignons rôtis

À défaut de petits oignons, couper en deux de gros oignons non pelés et les mettre dans une lèchefrite huilée. Faire rôtir à découvert au four à 220 °C pendant 2 heures, jusqu'à ce qu'ils soient bien caramélisés, tendres et défaits. Ôter la pelure externe, arroser de vinaigre balsamique et d'huile d'olive vierge extra et parsemer de persil fraîchement haché.

CI-DESSOUS Notre cuisine à la villa. Les murs étaient décorés de magnifiques assiettes peintes à la main, dont la plupart avaient au moins cent ans et d'autres étaient encore plus anciennes. Leurs couleurs fanées et leurs bords ébréchés étaient chargés d'histoire. La présence de notre photographe, Simon, ajoutait une nouvelle dimension à chacun de nos repas. Pour qu'il prenne ses clichés, nous dressions pour lui une portion de chaque plat sur une de ces vieilles assiettes avant de servir les autres convives.

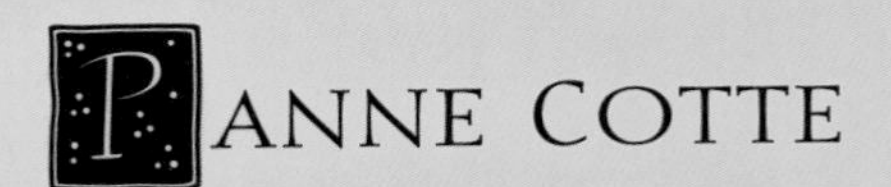

PANNE COTTE

STEPHANIE Cette crème délicate est le plus délicieux des desserts. Je l'ai d'abord aromatisée avec de l'huile d'amande amère, des amandes d'abricot écrasées, de l'eau de rose, du géranium rosat, du gingembre, et ainsi de suite. Mais il faut éviter les parfums trop puissants qui altéreraient la pureté de cette crème. La *panna cotta* se sert avec un délicat coulis de fruits ou des fruits pochés. Ici, nous avons choisi des coings braisés (voir page 149).

huile d'amande douce
4 feuilles de gélatine
1 tasse de lait
1 tasse de crème
50 g de sucre semoule
1 gousse de vanille ou 1 amande d'abricot écrasée
quelques gouttes de vanille pure ou d'eau de rose

Badigeonner d'huile d'amande douce 4 moules de 125 ml. Faire tremper la gélatine dans de l'eau froide pendant 2 à 3 minutes. Faire doucement chauffer le lait et la crème dans une casserole avec le sucre semoule et la gousse de vanille (ou l'amande d'abricot écrasée) et remuer jusqu'à dissolution du sucre. Exprimer l'eau de la gélatine, ajouter au mélange au lait et remuer jusqu'à dissolution complète. Ajouter la vanille pure (ou le liquide aromatique que vous avez choisi), tamiser le mélange et verser dans les moules préparés. Réfrigérer pendant environ 6 heures.

Passer un couteau le long de la paroi interne de chaque moule et plonger la base des moules dans de l'eau très chaude pendant 1 minute. Démouler les *panne cotte* sur les assiettes de service. Servir avec des coings braisés émincés et un peu de jus de cuisson, ou bien avec les fruits ou le coulis de votre choix.

POUR 4 PERSONNES

COINGS BRAISÉS DE MAGGIE

CI-DESSUS Préparation des coings braisés. Un jour, après le déjeuner, Elena a mis dans un petit bol le reste des coings, et leur jus, que nous n'avions pas finis avec les *panne cotte* au caramel (voir page 150). Le soir, alors que les stagiaires étaient partis pour Sienne, nous avons dîné d'une grande salade *caprese* (voir page 124), de *salami* et de la gelée de coing qui s'était formée dans le bol : elle était merveilleuse avec notre *gorgonzola dolce*.

STEPHANIE Un après-midi, Maggie et moi avons fait une courte promenade vivifiante. Il était bon de se retrouver au grand air, à regarder les vendangeurs remplir une même hotte de raisins blancs et de raisins noirs (c'est ainsi que l'on fait le chianti). Nous sommes passées devant de nombreuses villas, dont certaines étaient bien cachées par les arbres. Dans les potagers poussaient les dernières tomates de l'année et tous les jardins avaient leurs arbres fruitiers. Nous avons ramassé quelques coings abîmés tombés d'un arbre et tremblé comme des voleuses au passage d'une voiture de police rurale !

6 coings entiers, avec queue et feuilles, si possible
1,5 l d'eau
4 tasses de sucre
le jus de 3 citrons

Frotter le duvet des coings et bien laver. Placer les coings, bien serrés, dans une casserole à fond épais avec l'eau et le sucre. Faire bouillir à une température raisonnable jusqu'à ce qu'une gelée commence à se former. Réduire le feu et faire cuire à petit frémissement pendant 5 heures. Il faut retourner les coings au moins 4 fois pendant la cuisson pour que la couleur rouge foncé qu'ils vont prendre pénètre jusqu'au cœur des fruits. Vers la fin du temps de cuisson, ajouter le jus de citron pour compenser le goût sucré.

VERSION RAPIDE

Si l'on n'a pas le temps de faire cuire les coings pendant des heures, les couper d'abord en quatre, peler et ôter le trognon. Mélanger une quantité égale de sucre et d'eau dans une casserole et ajouter la peau et les trognons (ou ajouter un ou deux coings entiers). Remuer le mélange sur le feu jusqu'à dissolution du sucre. Faire cuire les quartiers de coings dans le sirop, sur le fourneau ou au four, en retournant les fruits pour qu'ils cuisent de toutes parts.

POUR 12 PERSONNES

PANNE COTTE AU CARAMEL

PAGE CI-CONTRE Au cours du dernier stage de cuisine, les *panne cotte* et les coings ont fait la sensation d'un jour. Quelles couleurs ! On aurait dit de la cornaline. Le jus des coings s'était presque transformé en gelée et coulait dans le caramel et la crème. Du point de vue de la texture, l'association de la fraîcheur, du soyeux et du gélatineux fut une expérience extraordinaire. Tout le monde s'extasiait à table, tandis que nous restions muettes de bonheur.

DOUBLE PAGE SUIVANTE La villa est située dans un secteur appelé Crete di Siena, que l'on pourrait traduire par « les argiles de Sienne ». Autrefois forestière, la région a été massivement déboisée au fil des siècles pour laisser la place à des terres agricoles. Après la saison de culture, on brûle les champs et, à la fin de l'été, les soirées sont illuminées par les lueurs de nombreux feux. Le sol est ensuite labouré pour exposer les lourdes mottes d'argile, puis laissé en friche jusqu'à l'arrivée des pluies qui vont les ramollir. Les semailles peuvent alors commencer. Nous n'avions aucun mal à nous imaginer le paysage à la fin du printemps et en été, lorsque les champs de blé sont verts et ondulent sous la brise, tandis que les tournesols se dressent fièrement.

MAGGIE Cette autre façon de préparer les *panne cotte*, avec des blancs d'œufs au lieu de gélatine, m'a été enseignée par Stefano de Pieri, du Grand Hôtel de Mildura. C'est Francesco, un chef qui avait travaillé avec lui pendant une saison, qui la lui avait enseignée. Ce splendide dessert a remporté un tel succès à la Villa di Corsano que nous l'avons surnommé la « *panna cotta* suprême ».

1 l de crème épaisse (45 % M.G.)
150 g de sucre semoule
2 grains de café
1/2 gousse de vanille
10 blancs d'œufs
1 pincée de sel

CARAMEL
1 tasse de sucre
1/4 de tasse d'eau

Pour le caramel, mélanger le sucre et l'eau sur le feu dans une casserole, jusqu'à dissolution du sucre. Arrêter de remuer et faire cuire jusqu'à ce que le mélange soit de couleur caramel foncé. Ôter du feu et plonger immédiatement la base de la casserole dans de l'eau froide pour arrêter la cuisson. Verser le caramel dans 15 moules de 125 ml et bien répartir dans le fond. Réserver.

Dans une casserole, faire chauffer la crème avec 125 g de sucre semoule, les grains de café et la gousse de vanille. Remuer jusqu'à dissolution du sucre. Ôter la casserole du feu et placer dans un saladier contenant des glaçons ou bien réfrigérer. Tamiser la crème refroidie dans une jatte.

Préchauffer le four à 180 °C. Monter les blancs d'œufs en neige avec le sel, puis incorporer le reste du sucre semoule. Attention à ne pas trop fouetter les blancs : ils seraient impossibles à incorporer à la crème refroidie. Incorporer un tiers des blancs en neige à la crème, puis le reste. Verser la préparation dans les moules caramélisés, puis ranger les moules sur une lèchefrite tapissée d'un linge. Verser de l'eau chaude, dans la lèchefrite, aux trois quarts de la hauteur des moules. Couvrir de papier d'aluminium et enfourner. Faire cuire 5 minutes, puis baisser la température à 150 °C et poursuivre la cuisson pendant 1 h 15 : si le centre des *panne cotte* n'est pas encore pris, prolonger la cuisson de 15 minutes. Laisser refroidir, puis réfrigérer une nuit pour que la crème prenne. Passer un couteau le long de la paroi interne de chaque moule et démouler sur les assiettes de service.

POUR 15 *PANNE COTTE*

AU LOIN, UN PATCHWORK

TOUT JUSTE SEMÉS, DE CARRÉS VERDISSANT

DE CHAMPS AUX SILLONS RÉGULIERS

ET DE PRÉS EN FRICHE.

Aubergines grillées, macérées dans du vinaigre balsamique au thym et à l'ail

CI-DESSUS ET PAGE CI-CONTRE
La ferme Bischi. La première fois que nous avons vu la *signora* Bischi, elle était en train de tricoter sous la véranda de sa maison, un bâtiment rustique flanqué d'un mur de pierre cintré. De vieilles granges encadraient la maison. L'une contenait un tracteur : du moderne dans de l'ancien.
La *signora* Bischi et son mari nous ont accueillis deux fois et nous ont vendu de la *ricotta* et du *pecorino* frais faits avec le lait de leurs vaches et de leurs brebis. Les vaches étaient attachées dans une étable attenante à la maison, là où se trouvait la chambre froide. Nous avons pu goûter leur fromage de chèvre mi-frais.

STEPHANIE Ces délicieuses aubergines macérées faisaient partie d'un assortiment d'*antipasti* comprenant des champignons en bocaux faits par nos soins (voir page 211) et de la *ricotta* fraîche du matin.

La semaine précédente, Peter, Maggie, Tony, Elena et moi étions partis à la recherche d'une ferme vendant du fromage de chèvre. Après avoir roulé sur des chemins poussiéreux, nous sommes parvenus à la ferme ancienne et isolée qu'on nous avait indiquée. Devant, une vieille femme handicapée par l'arthrite tricotait assise sur une chaise, une tapette à mouches près d'elle. Elle demanda à Peter ce que nous voulions. Oui, elle avait du fromage, mais ce n'était pas le meilleur moment de l'année. Elle nous fit entrer et nous découvrîmes un endroit qui, hormis quelques casiers et une vieille chambre froide contenant très peu de fromages, semblait avoir échappé au XXe siècle. Des guirlandes de tomates écarlates étaient suspendues au plafond près de *prosciutti* géants. L'odeur de fumier était forte. Après avoir payé notre fromage, nous échangeâmes des sourires et elle nous fit promettre de revenir bientôt.

Une semaine plus tard, d'autres membres de notre groupe revinrent de la même ferme dans un grand état d'excitation. Ils avaient vu le *signor* Bischi fabriquer de la *ricotta* fraîche. Nous la mangeâmes en hors-d'œuvre au déjeuner, encore tiède, avec des fleurs de bourrache et de la roquette sauvage cueillies dans les prés.

750 g d'aubergines
huile d'olive vierge extra
6 gousses d'ail finement émincées
1/4 de tasse de thym fraîchement haché (tiges comprises)
sel de mer
poivre noir fraîchement moulu
50 ml de vinaigre balsamique

Couper les aubergines dans la longueur en lamelles de 1 cm d'épaisseur et recouper dans la diagonale. Badigeonner d'un peu d'huile d'olive. Faire griller au barbecue, sur une poêle à griller ou sous le gril du four, en les retournant une fois. Transférer dans une jatte et laisser refroidir un peu. Parsemer de l'ail, du thym, de sel et de poivre. Mélanger le vinaigre balsamique avec 1/2 tasse d'huile d'olive vierge extra. Verser les deux tiers de cette marinade sur les aubergines et les retourner pour bien les enrober. Laisser refroidir.

Mettre les aubergines refroidies dans des bocaux stérilisés et verser le reste de la vinaigrette. Secouer les bocaux pour éliminer toute poche d'air et fermer hermétiquement. Ainsi préparées, les aubergines peuvent se manger tout de suite ou se conserver plusieurs mois.

MINESTRONE

STEPHANIE Il existe de très nombreuses versions de *minestrone*. Certaines incluent des pâtes courtes, d'autres du riz. Dans certaines régions d'Italie, on y ajoute des herbes fraîches et, dans d'autres, la soupe est servie à température ambiante. Dans le Sud de la France, on consomme une soupe très similaire appelée soupe au pistou, couronnée d'une quantité généreuse de pistou (emprunté à la ville proche de Gênes, où il se nomme *pesto*).

Pour le *minestrone*, les meilleurs haricots sont les *borlotti*, vendus à la fin de l'été dans leurs gousses rose et crème. S'ils ne sont pas disponibles frais, on peut les acheter secs et les faire tremper une nuit. Les haricots *cannellini* secs peuvent les remplacer. Il faut peser les haricots secs trempés pour calculer le poids de haricots frais nécessaire.

Sur les marchés italiens, on trouve de la couenne de porc fraîche prête à l'emploi, présentée sous forme de rouleau. Dans les pays où ce produit n'est pas courant, on peut passer commande auprès de son boucher. Mais on peut omettre la couenne, ou la remplacer par du pied de porc.

Certaines cuisinières italiennes ajoutent de la croûte de *parmigiano-reggiano* à leur *minestrone*. Un ami italien, lui, en ajoute systématiquement si les haricots sont secs. J'en ai mis dans ce *minestrone* pour respecter le bon principe selon lequel on ne jette jamais les croûtes de fromage : je les conserve dans un bocal d'huile d'olive. Ensuite, j'utilise l'huile pour arroser la soupe ou toutes sortes d'autres plats.

Plutôt que le chou frisé, les Toscans emploient du *cavolo nero*, ce chou de couleur sombre qui confère au *minestrone* sa saveur et sa couleur authentiques.

1/2 tasse d'huile d'olive
20 g de beurre
3 oignons finement hachés
3 gousses d'ail finement hachées
2 carottes coupées en dés
2 branches de céleri coupées en dés
200 g de couenne de porc coupée en 3 (facultatif)
450 g de haricots borlotti fraîchement écossés
la croûte d'un morceau de parmigiano-reggiano
1 tasse de passata de tomates ou 4 tomates mûres pelées, épépinées et finement hachées
1,5 l de brodo (voir page 210) ou d'eau
1 tasse de chou frisé finement haché
3 courgettes coupées en dés
1 tasse de haricots verts hachés
sel de mer
poivre noir fraîchement moulu
huile d'olive vierge extra
parmigiano-reggiano fraîchement râpé

Faire chauffer l'huile d'olive et le beurre dans une cocotte jusqu'à ce que le beurre mousse, puis ajouter l'oignon et l'ail. Faire cuire doucement jusqu'à ce que l'oignon soit tendre. Ajouter la carotte, le céleri et la couenne de porc, remuer pour enrober tous les légumes et faire cuire doucement. Après 5 minutes de cuisson, ajouter les haricots *borlotti*, la croûte de fromage, la *passata* de tomates et le *brodo*. Couvrir et laisser mijoter doucement pendant 1 h 30.

Ajouter le chou, les courgettes et les haricots verts et laisser mijoter 30 minutes. Rectifier l'assaisonnement. Ôter la croûte de fromage avant de servir dans de grands bols. Arroser d'un peu d'huile d'olive vierge extra et servir du *parmigiano-reggiano* râpé séparément.

POUR 8 PERSONNES

PAGE CI-CONTRE et CI-DESSOUS
En pénétrant dans la grange attenante à la ferme Bischi, nous avons vu les produits de la saison précédente suspendus aux poutres : de beaux oignons et des tomates magnifiques ainsi que des *prosciutti* trois fois plus gros que ceux du commerce. Nous avons compris que les jambons venaient de leurs énormes vaches, et non de porcs, d'où leur taille.

RIBOLLITA

Signifiant « rebouillie », la *ribollita* est un *minestrone* qui a été réchauffé avec du pain. Grande favorite à la villa, nous avons également goûté celle du Ristorante La Fattoria, où elle avait remplacé sur la carte la salade de tripes, plus estivale (voir page 112), lorsque le temps est devenu plus frais. Épaisse, de couleur bronze, elle avait la couleur reconnaissable du *cavolo nero*.

TARTE AU CHOCOLAT

PAGE CI-CONTRE Les compositions de Tony ajoutaient à l'élégance toute toscane de la villa. Hommage, parfois, à un produit particulier trouvé au marché, ce pouvait être simplement un énorme plat contenant une haute pile de pamplemousses rose foncé. D'autres jours, Tony rapportait d'une promenade dans la propriété des brassées d'herbes et de fleurs sauvages, des grappes de raisins et des coings.

Aucun d'entre nous n'aimons vraiment les sucreries mais nous nous sommes laissé tenter bien des fois, en Italie, par une mousse à l'orange amère avec des pistaches, un *affogato* (glace au café et à la vanille arrosé d'espresso tout frais), un gâteau de riz ou des pâtisseries à la crème que nous dégustions avec le café.

Lorsque nous avons voulu préparer cette tarte au chocolat, nous ne sommes pas parvenus à trouver du chocolat amer, sans lequel ce type de dessert est bien trop sucré.

200 g de chocolat amer de couverture
200 g de beurre
100 g de farine
300 g de sucre semoule
6 œufs

Préchauffer le four à 180 °C et tapisser de papier sulfurisé un moule rond à fond amovible de 26 cm de diamètre. Faire fondre le chocolat et le beurre au bain-marie, puis remuer jusqu'à ce que la préparation soit homogène. Dans un mixeur électrique, battre la farine, le sucre semoule et les œufs jusqu'à obtention d'un mélange très épais de couleur jaune pâle. Incorporer le chocolat fondu à vitesse lente. Transférer la préparation dans le moule et faire cuire 35 à 45 minutes. Le dessus de la tarte aura la consistance d'une croûte et l'intérieur sera tendre. Laisser refroidir complètement avant de découper.

POUR 10 À 12 PERSONNES

GÉNOISE À LA RICOTTA

PAGE CI-CONTRE *Signor* Bischi fabrique de la *ricotta* avec le petit-lait écoulé de ses fromages. Il le fait chauffer jusqu'à la formation de grumeaux blancs à la surface, qu'il sort à l'aide d'une écumoire et transfère dans un moule pour les égoutter. Meilleure quand elle est très fraîche, la *ricotta* se sert souvent en Toscane avec du bon pain et un peu de sel ou, parfois, du miel.

Nous avons adoré le gâteau à la *ricotta* qui nous a été servi au Ristorante La Fattoria le même jour que la salade de tripes (voir page 112). C'était une simple génoise coupée en deux, au centre garni d'une généreuse couche de *ricotta* mélangée avec du yogourt et couverte de crème fouettée sucrée, poudrée de sucre glace et servie avec des fraises des bois, des groseilles, des cassis et des framboises. Les Italiens ajoutent parfois à la couche de *ricotta* des fruits secs trempés dans du cognac et de l'eau avant de replacer la seconde moitié de génoise sur le dessus. Ils enveloppent le gâteau dans de l'papier d'aluminium et le réfrigèrent quelques heures avant de le servir saupoudré de sucre glace.

1 tasse de ricotta fraîche
1/2 tasse de yogourt nature
1/2 tasse de crème
sucre semoule
1 génoise
sucre glace

Fouetter la *ricotta* en crème onctueuse ou la passer au mixeur électrique. Incorporer le yogourt. Fouetter et sucrer la crème à volonté, puis incorporer au mélange à la *ricotta*. Répartir la préparation sur la moitié inférieure de la génoise et recouvrir de la partie supérieure. Saupoudrer de sucre glace et servir avec des fruits rouges.

Le vin fait partie de la Toscane. Chaque habitation a ses propres vignes, qu'elles soient simplement palissées ou plantées en rangées bien

ordonnées. Nous avons dégusté de grands vins dans des *enoteche* médiévales, discuté avec des vignerons connaissant les techniques anciennes et modernes et stocké notre vin dans un antique bâtiment étrusque. Mais nous avons surtout su apprécier le vin à sa juste valeur : avec un bon petit plat.

Le vignoble

AZ. AGR.
CASTIGLIONE
ISOLE E
OLENA
ANTINORI
MOSCATO
D'ASTI
BADIA
R.I. 621 FI
PRUNOTTO
ANTINORI
ANTINORI
R.I. 621 FI
ANTINORI
20-7 MP
PRUNOTTO
D'ASTI
A
PASSIGNANO
1994

FROMAGE DE CHÈVRE EN GRAPPA

CI-DESSOUS Nous avons beaucoup aimé les vins toscans, dont le Cepparello de Isole e Olena (à gauche sur la photographie). Issu d'un seul cépage, le *sangiovese*, ce vin est un « super tuscan » : il est élaboré en dehors des règles de la Denominazione di Origine Controllata (DOC) imposée à d'autres vins, comme le chianti *classico*.

PAGE CI-CONTRE Paolo de Marchi, de l'exploitation Isole e Olena, et ses raisins séchant pour l'élaboration du *vin santo*, somptueux vin de dessert toscan.

DOUBLE PAGE SUIVANTE Les vignobles vus de la Villa di Corsano.

STEPHANIE Paolo de Marchi, le charmant propriétaire-récoltant de Isole e Olena qui a dirigé les séances de dégustation de chianti *classico* avec nos stagiaires, nous a confirmé que presque tous les producteurs de vin italiens fabriquaient leur *grappa*. Comme le marc français, cette eau-de-vie s'obtient en distillant le moût des raisins, c'est-à-dire les résidus des raisins pressés pour la vinification. À la fin d'un déjeuner préparé pour remercier les « locaux » qui nous avaient aidés, nos amis italiens en ont consommé de copieuses quantités, en *digestivo*. Il existe une version plus douce de la *grappa*, mais les hommes la préfèrent plus puissante et rustique. Nos amis ont organisé une dégustation, mais je me suis contentée de déguster avec le nez.

MAGGIE Pour nos stages de cuisine, Peter James, de la maison Negociants d'Adélaïde, nous a aidés au choix des vins. Nous avons inclus une caisse de *grappa*, persuadés que cette eau-de-vie était indispensable à notre expérience italienne. Mais, après les trois stages, nous n'avions pas encore entamé une seule des bouteilles de 375 ml. Le déjeuner organisé pour les Italiens nous a fait comprendre pourquoi : la *grappa* est une tradition dans laquelle on doit grandir et il faut toute une vie pour s'y habituer. La *grappa* consommée ce jour-là par nos visiteurs a eu beaucoup moins d'effet sur eux que le champagne que nous avons bu, nous !

Dans ce plat, la puissance de la *grappa* équilibre merveilleusement l'onctuosité du fromage de chèvre. On peut lui substituer du cognac, mais le « coup de fouet » apporté par la *grappa* n'a rien de comparable.

1 grosse gousse d'ail finement émincée
2 cuil. à soupe de grappa
1/3 de tasse d'huile d'olive vierge extra
1/3 de tasse de persil plat grossièrement haché
poivre noir fraîchement moulu
360 g de fromage de chèvre frais

Préparer une marinade en mélangeant l'ail, la *grappa*, l'huile d'olive, le persil et un peu de poivre concassé. Verser un peu de marinade dans un plat en verre ou en céramique, y glisser doucement le fromage frais et arroser du reste de la marinade. Couvrir le plat de film alimentaire et réfrigérer le tout pendant 24 heures, en retournant le fromage une ou deux fois.

Ôter le fromage de la marinade et servir à température ambiante avec de la roquette assaisonnée d'huile d'olive vierge extra et d'un bon vinaigre balsamique ou d'un vinaigre de vin rouge vieux. Il est indispensable d'accompagner le fromage de grosses tranches de pain badigeonnées d'huile d'olive et grillées au four.

UN ÉTÉ MAGNIFIQUE

PROMETTENT

ET DES PLUIES LÉGÈRES,

UN MILLÉSIME MÉMORABLE.

MOULES MARINÉES

CI-DESSUS Paolo de Marchi dans les chais d'Isole e Olena. L'homme nous a tous charmés, non seulement par ses explications claires sur les traditions viticoles, anciennes et modernes, du Chianti et sur ses perspectives d'avenir, mais aussi par sa personnalité chaleureuse.

PAGE CI-CONTRE Gros plan sur quelques raisins pour *vin santo* séchant sur des claies, où ils restent plusieurs mois (voir page 178).

Le jour où Paolo de Marchi est venu nous rendre visite, nous avons fait un repas d'*antipasti* comprenant des fleurs de courgettes frites farcies d'un mélange de *mozzarella* toute fraîche et d'anchois hachés (voir page 143), de la seiche (voir page 170), des moules marinées et de minuscules crevettes de quelques centimètres de longueur, les *gamberetti*. Nous avons cuit celles-ci à l'eau pendant une minute seulement, puis les avons mélangées avec des graines de fenouil, de l'ail et du persil. Elles se mangent entières.

moules ébarbées et nettoyées
oignon finement haché
tiges de persil
vin blanc
huile d'olive vierge extra
vinaigre de cidre
échalotes très finement hachées
une grande quantité de persil plat grossièrement haché

Mettre les moules grattées sur deux couches dans une grande casserole (un wok convient encore mieux). Parsemer d'un peu d'oignon haché et des tiges de persil et verser 1 cm de vin blanc. Couvrir et augmenter le feu au maximum. En 4 ou 5 minutes se forme un important dégagement de vapeur et, lorsque l'on ôte le couvercle, on s'aperçoit que les moules sont ouvertes. Transférer les moules ouvertes dans un plat et poursuivre la cuisson pendant 1 ou 2 minutes pour les autres. Ajouter dans le plat les moules ouvertes et jeter celles qui sont restées fermées. Tamiser le liquide de cuisson et arroser les moules de façon à ce qu'elles restent humides. Laisser refroidir un peu avant d'ajouter l'assaisonnement.

Mélanger 4 mesures d'huile d'olive pour 1 mesure de vinaigre de cidre et ajouter le reste des ingrédients : il faut suffisamment de persil pour que la vinaigrette soit épaisse. Laisser mariner les moules 30 minutes dans la vinaigrette avant de servir.

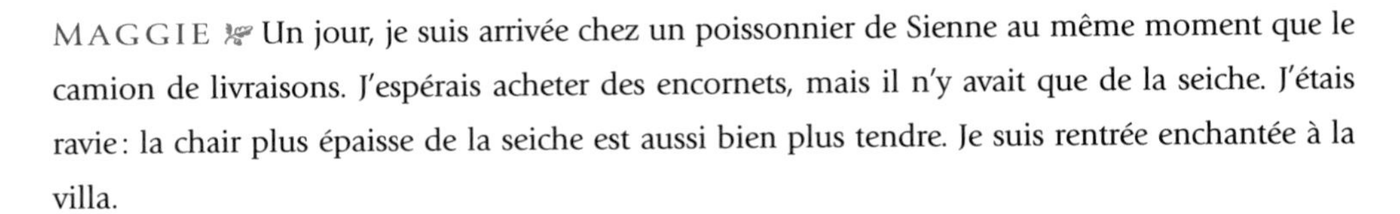

SALADE DE SEICHE

PAGE CI-CONTRE Peter goûtant un *Brunello di Montalcino* 1993, l'un des plus grands. La ville médiévale de Montalcino est réputée pour son vin rouge sec et généreux issu d'un clone du cépage sangiovese qui s'est particulièrement bien adapté à la région. Légalement, le *Brunello di Montalcino* doit vieillir au moins trois ans en fût et être mis en vente après un total de quatre ans d'élevage.

CI-DESSOUS Paolo di Marchi nous a particulièrement choyés dans les chais d'Isole e Olena.

MAGGIE ❧ Un jour, je suis arrivée chez un poissonnier de Sienne au même moment que le camion de livraisons. J'espérais acheter des encornets, mais il n'y avait que de la seiche. J'étais ravie : la chair plus épaisse de la seiche est aussi bien plus tendre. Je suis rentrée enchantée à la villa.

1/4 de tasse de raisins secs
2 cuil. à soupe de vinaigre de vin rouge
6 seiches nettoyées
2 cuil. à soupe d'huile d'olive vierge extra
1 oignon rouge émincé
1 tasse de vin blanc sec
3 tomates pelées, épépinées et hachées
1 poignée d'olives noires
1/4 de tasse de persil plat haché
2 cuil. à soupe de pignons de pin grillés

Préchauffer le four à 180 °C. Faire tremper les raisins secs dans le vinaigre de vin rouge pendant 30 minutes, puis égoutter. Pendant le trempage, trancher les tentacules et réserver. Couper les corps en morceaux de 5 x 5 cm environ et transférer dans un plat à gratin. Ajouter l'huile d'olive, l'oignon, le vin et la tomate et faire cuire au four, à couvert, pendant 1 heure. Vérifier la cuisson en piquant la chair avec la pointe d'un couteau : elle ne doit opposer aucune résistance. Sinon, faire cuire 15 minutes de plus. Ajouter les tentacules et les olives et faire cuire 15 minutes supplémentaires. Incorporer le persil, les pignons de pin et les raisins secs, et poivrer. Servir en *antipasto*, à température ambiante.

BETTERAVES AU FOUR

Pour un repas, nous avons fait précéder le *rotolo di spinaci* (voir page 174) d'*antipasti* végétariens comprenant des mini courgettes cuites 5 minutes à l'eau, coupées en quatre, arrosées d'huile d'olive vierge extra et parsemées de sel de mer, de poivre et de persil fraîchement haché. Nous avons agrémenté de haricots verts un plat d'artichauts étuvés (voir page 72) et assaisonné des oignons caramélisés (voir page 194) pour en faire une salade. Nous avons aussi fait suer des fleurs de courgette dans du beurre et de l'huile d'olive et les avons émincées. Enfin, des aubergines et des poivrons rouges grillés et nos champignons en bocaux (voir page 211) couronnaient ce somptueux repas.

De retour en Australie, nous avons décidé de compléter ce même menu végétarien par des betteraves cuites au four. Or, à notre grande surprise, nous n'avons pas pu nous procurer de betteraves crues. Même au marché San Lorenzo, à Florence, toutes les betteraves étaient vendues déjà cuites. C'était d'autant plus étrange que nous avions pourtant trouvé des fanes de très jeunes betteraves à faire sauter dans de l'huile d'olive et à mélanger avec de la chapelure grillée pour confectionner une sauce pour les pâtes.

mini-betteraves (fanes coupées à 2 cm)
huile d'olive vierge extra
1 cuil. à soupe d'eau
brins de thym

Préchauffer le four à 220 °C. Ranger les betteraves sur une seule couche dans un plat à gratin en Inox ou en émail. Arroser d'huile d'olive vierge extra, ajouter l'eau et piquer d'un ou deux brins de thym. Couvrir de papier d'aluminium et faire cuire 40 à 60 minutes. Les betteraves sont cuites lorsqu'une pique y pénètre sans difficulté. Ces betteraves se servent avec leur peau ou pelées.

SALADE CHAUDE

Pour une salade chaude, mélanger des betteraves au four coupées en dés avec des gousses d'ail grillées, des anchois préalablement trempés 10 minutes dans du lait et une vinaigrette faite de vinaigre de vin rouge, de jus d'orange et d'huile d'olive vierge extra. Pour un contraste de saveurs, mélanger des mini-betteraves entières cuites avec des quartiers de pamplemousse rose ou d'orange, des feuilles de betterave sautées et des noix grillées.

PURÉE DE HARICOTS BLANCS

L'une des grandes caractéristiques de la gastronomie toscane est l'emploi d'ingrédients tout simples et faciles à trouver : raisin, vin rouge, tomates, huile d'olive, pain et, bien entendu, haricots. Même le faisan et le sanglier, produits rares pour nous, sont courants en Toscane.

Nous avons mangé des haricots sous toutes leurs formes : soupes, ragoûts, salades et purées, comme celle-ci, à de nombreuses reprises. Les purées de haricots prennent une consistance différente selon que le résultat final doit être une soupe, chaude ou froide, avec un trait d'huile d'olive vierge extra ou, comme ici, une pâte suffisamment épaisse pour être tartinée sur du pain avant de passer sous le gril.

175 g de haricots cannellini secs, trempés une nuit
3 tasses d'eau froide
1 cuil. à soupe de concentré de tomates
sel
1 cuil. à café d'ail frais haché
1 cuil. à café de romarin frais finement haché
huile d'olive vierge extra
3/4 de tasse de brodo très chaud (voir page 210)
1/2 jus de citron
poivre noir fraîchement moulu

Rincer les haricots trempés, mettre dans une grande casserole avec l'eau et ajouter le concentré de tomates et une pincée de sel. Porter à ébullition, réduire le feu et laisser frémir, sans couvrir, pendant 2 heures. Les haricots doivent rester couverts d'eau pendant 1 h 30. Lorsqu'ils sont tendres, la presque totalité de l'eau doit avoir été absorbée. Réduire en purée dans un robot ménager.

Faire sauter l'ail et le romarin dans un peu d'huile d'olive. Ajouter la purée et bien mélanger. Verser le bouillon très chaud et remuer sur le feu jusqu'à absorption. La purée doit être onctueuse, épaisse et brillante. Ajouter un peu d'huile, le jus de citron et du sel et du poivre à volonté. Tartiner la purée sur du pain grillé et réchauffer au four 10 minutes ou faire dorer sous le gril.

Cette purée se conserve bien au réfrigérateur, dans un récipient fermé, pendant plusieurs jours.

Rotolo di Spinaci

PAGE CI-CONTRE Notre *rotolo di spinaci*, présenté ici avec un beurre noisette, des feuilles de sauge croustillantes et des copeaux de *parmigiano-reggiano*.

MAGGIE Le *rotolo* est devenu l'un des plats favoris de nos stagiaires, mais aussi des amis et leur famille qui sont venus passer des vacances avec nous après les stages.

Ces pâtes fraîches se préparent au mixeur électrique, contrairement à la recette de pâtes aux œufs expliquée page 212, qui est préparée à la main pour un résultat plus luisant. (Vous aurez des restes bien utiles en cas de mésaventure : vous pouvez les congeler ou en faire des *ravioli*.) Le jour où nous avons employé tous les jaunes d'œufs restant de nos *panne cotte*, nous étions très satisfaits de nous : avec 500 g de farine, 12 jaunes et 1 blanc 1/2, nous avons obtenu une pâte très riche et merveilleusement dorée !

La première fois que nous avons cuisiné ce plat, lors d'un stage, nous nous sommes aperçus que nous avions oublié d'acheter des champignons de couche au marché, la veille. Il ne restait plus qu'une solution : employer des *porcini*. Les petits *porcini* que nous voulions faire griller dans des feuilles de vigne ont donc changé de destination et, de bon plat rustique, notre *rotolo* est devenu un mets de choix.

Après avoir fait tremper les *porcini* séchés, je les ai fait cuire selon la méthode ci-après. Quant aux *porcini* frais, je les ai fait revenir à la poêle dans du beurre avec un peu d'ail, jusqu'à ce qu'ils soient caramélisés, et j'ai déglacé la poêle avec un peu de liquide de trempage des champignons, que j'ai fait réduire en sirop. (Le reste du liquide a été réservé pour le *sformato* servi lors du banquet de fin de stage – voir page 196.) Les saveurs étaient extraordinaires.

Une autre fois, nous nous sommes aperçus que la jointure entre les différentes feuilles de pâte n'avait pas bien cuit après le temps de pochage normal. Sur les conseils d'Elena, nous avons donc défait les rouleaux et terminé la cuisson à la poêle, avec beaucoup de beurre fondu. Une saucière de beurre noisette et une assiette de feuilles de sauge croustillantes étaient déjà prêtes pour la touche finale et j'ai découpé le *rotolo* à table.

CI-DESSUS Passage de l'abaisse de pâte dans le laminoir.

CI-DESSOUS Étalement du mélange à l'épinard et aux champignons sur l'abaisse de pâte.

PÂTE

500 g de farine de blé dur non blanchie
1 cuil. à café de sel de mer
4 gros œufs (55 g chacun)
6 gros jaunes d'œufs
semoule fine

GARNITURE

verjus
40 g de porcini séchés
20 g de beurre
1 oignon rouge finement haché
1 cuil. à soupe d'origan frais
800 g d'épinards frais lavés, blanchis et hachés
le zeste d'un citron
sel de mer
poivre noir fraîchement moulu
1 cuil. à soupe 1/2 d'huile d'olive
2 gousses d'ail hachées
250 g de champignons sauvages grossièrement émincés
350 g de ricotta
65 g de parmigiano-reggiano fraîchement râpé
muscade fraîchement râpée

Pour la pâte, mettre la farine et le sel dans un mixeur et ajouter les œufs entiers et les jaunes d'œufs. Mixer jusqu'à ce que la pâte commence à former une boule. Pétrir la pâte sur un plan de travail saupoudré de semoule, pendant environ 3 minutes, jusqu'à ce qu'elle soit souple.

Diviser la pâte en quatre (en deux si vous l'abaissez à la main – voir la note au bas de la page suivante). Pétrir brièvement chaque morceau et former une boule. Envelopper les boules de film alimentaire et réfrigérer entre 20 minutes et 2 heures.

Pendant ce temps, préparer la garniture. Faire chauffer un peu de verjus dans une casserole et y faire tremper les *porcini* séchés : il faut compter 15 à 20 minutes de trempage. Faire fondre le beurre dans une poêle et faire cuire l'oignon jusqu'à ce qu'il soit tendre, puis ajouter l'origan, les épinards et le zeste de citron. Bien mélanger, assaisonner et laisser refroidir.

Égoutter les *porcini*, tamiser le liquide et réserver. Laver les *porcini* pour ôter toute trace de sable. Faire chauffer l'huile d'olive dans une poêle et faire doucement cuire l'ail pendant quelques minutes. Ajouter les champignons sauvages et faire cuire 5 minutes sur feu vif en remuant. Ajouter les *porcini* et faire cuire doucement 20 minutes, en ajoutant de temps en temps un peu du liquide réservé pour qu'ils restent humides. Employer tout le liquide : il faudra peut-être augmenter le feu pour qu'il s'évapore en totalité. Assaisonner et laisser refroidir. Hacher grossièrement les *porcini* froids.

Mettre la *ricotta* dans une jatte et la casser à la fourchette. Ajouter le mélange aux épinards, le *parmigiano-reggiano* et une quantité généreuse de muscade. Ajouter du sel et du poivre, le cas échéant, et réserver.

Passer une portion de pâte dans un laminoir (ouverture maximale) 8 à 10 fois, jusqu'à ce qu'elle soit luisante et soyeuse, en rabattant chaque fois une extrémité sur le centre et l'autre sur la précédente et en donnant un quart de tour sur la droite avant de la repasser dans l'appareil. Une fois cette opération terminée, repasser la pâte dans le laminoir en diminuant chaque fois l'ouverture, jusqu'à l'avant-dernière ou la plus fine. Peu importe que la pâte présente des trous ou des déchirures : ils seront faciles à colmater. Arrivé à ce stade, on doit avoir obtenu une feuille de pâte de 30 x 10 cm. Répéter l'opération avec les trois autres boules de pâte. Aligner les bords de deux feuilles (sur la longueur) et les badigeonner d'eau pour les sceller ensemble : on obtient une feuille d'environ 30 x 20 cm. Procéder de la même façon avec les deux feuilles restantes. Rectifier les bords.

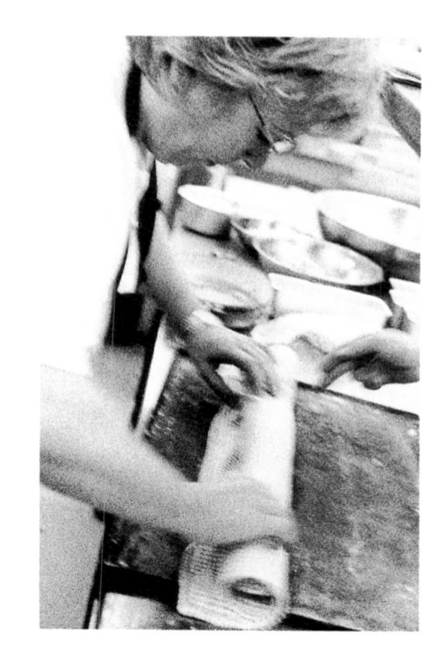

CI-DESSUS Roulage du *rotolo* à l'aide d'un linge.

Transférer les deux rectangles de pâte sur un grand linge propre, le plus lisse possible pour ne laisser aucune trace sur la pâte, et le placer de façon à avoir une longueur devant soi. Étaler le mélange aux champignons en longeant le bord de devant, sur 3 cm de largeur. Couvrir le reste de la pâte avec le mélange aux épinards et à la *ricotta* sur une épaisseur d'environ 5 mm. En commençant par le bord aux champignons, rouler la pâte en bûche de 5 cm de diamètre et 30 cm de longueur en s'aidant du linge (voir photographie en haut à droite). Envelopper le *rotolo* de façon aussi serrée que possible et rabattre les extrémités pour fermer. Lier avec de la ficelle de cuisine pour qu'il conserve sa forme et ne prenne pas l'eau pendant la cuisson (voir photographie, en bas à droite). Procéder de la même façon avec l'autre rectangle de pâte et le reste de la garniture.

Porter de l'eau salée à ébullition dans une poissonnière ou une grande lèchefrite profonde. Glisser un *rotolo* dans l'eau, en veillant à ce qu'il soit submergé, couvrir et laisser frémir pendant 18 à 20 minutes. Ôter le *rotolo* et laisser reposer pendant la cuisson du second. Déballer les *rotoli*, transférer sur une planche et couper en tranches de 3 cm d'épaisseur. Servir 2 tranches par personne et placer du *parmigiano-reggiano* sur la table.

POUR 8 À 10 PERSONNES

CI-DESSOUS *Rotoli* bien ficelés en train de pocher dans une lèchefrite (la nôtre était assez grande pour en contenir plusieurs).

À LA MAIN

On peut également abaisser la pâte à la main, mais l'opération est relativement difficile. Dans ce cas, diviser la pâte en deux parts avant de la laisser reposer. Saupoudrer le plan de travail de semoule fine et abaisser la pâte sur une épaisseur aussi fine que possible. Il faut que la température de la pièce soit plutôt fraîche pour que la pâte ne sèche pas.

CHOCOLAT AUX AMANDES

PAGE CI-CONTRE Entrée du vignoble et de l'exploitation vinicole de Paolo de Marchi, Isole e Olena, dans le Chianti. Le vignoble est situé en face de ces grilles, sur les pentes d'une colline, et entouré d'une forêt dense. Paolo nous a raconté que des sangliers étaient sortis des bois la veille des vendanges pour manger les raisins. Nous avions du mal à le croire. Quant à Marta de Marchi, elle est persuadée que la saveur du *cinghale* est bien plus douce depuis que ces animaux sauvages préfèrent les raisins bien entretenus du Chianti à leur nourriture habituelle.

STEPHANIE ❧ À de nombreuses reprises, nous avons dégusté cette succulente tarte accompagnée de zeste de pamplemousse confit par nos soins (voir page 69) et de la pâte de coing de Maggie, sans oublier ce fabuleux vin de dessert toscan qu'est le *vin santo*.

L'élaboration du *vin santo* se fait par plaisir. Les raisins sont mis à sécher pendant des mois après la vendange et finalement pressés pour ne donner qu'une minuscule quantité de jus au goût de raisin sec. À ce stade, le vin du millésime précédent est séparé de ses lies et mis en bouteilles et l'on verse le nouveau vin dans les mêmes fûts, où il restera quatre ans. Les nombreux vins de qualité inférieure auxquels on ajoute de l'alcool sont étiquetés *vino liquoroso* plutôt que *vino da tavola*. Ils peuvent avoir un goût plus vert que moelleux et sont souvent troubles, contrairement aux vins dorés que nous avons tant appréciés.

chocolat amer de couverture
amandes mondées
huile d'amande douce ou huile d'olive

Préchauffer le four à 180 °C et tapisser une plaque de papier sulfurisé. Porter de l'eau à forte ébullition dans une casserole, puis réduire le feu au plus bas. Casser le chocolat en morceaux et mettre dans une jatte suffisamment grande pour tenir dans la casserole. Poser la jatte dans la casserole. Couvrir hermétiquement avec un couvercle, du film alimentaire ou du papier d'aluminium de façon à ce que ni l'eau ni la vapeur ne viennent abîmer le chocolat (une seule goutte d'humidité le ferait tourner). Laisser fondre lentement.

Pendant ce temps, faire dorer les amandes 5 à 10 minutes dans le four. Hacher grossièrement. Ôter la jatte de la casserole, puis ôter le couvercle. Plonger les amandes dans le chocolat fondu et remuer très brièvement.

Badigeonner d'huile d'amande douce ou d'huile d'olive le papier sulfurisé tapissant la plaque du four. Verser le chocolat fondu sur la plaque et bien étaler sur une fine couche. Laisser prendre. Casser la plaque de chocolat en morceaux irréguliers et conserver dans un endroit frais.

PANZANELLA

PAGE CI-CONTRE Détail de l'une des fresques ornant le salon de la Villa di Corsano.

STEPHANIE Au Ristorante Nello La Taverna, à Sienne, j'ai commandé une *panzanella* pour voir comment la préparait un authentique Toscan. Je fus ravie de constater que ma version, dans laquelle je détaille davantage le pain, était très bonne. Ce restaurant était plutôt exceptionnel : nous avons particulièrement apprécié les anchois frais marinés dans de l'huile d'olive vierge extra, avec des lamelles de truffe blanche, et la tourte aux pois chiches et aux artichauts frais. Le propriétaire nous a éclairés sur sa philosophie des produits : il laisse les ingrédients s'exprimer et respecte les traditions de sa région, tout en s'autorisant une interprétation personnelle. Il ignorait à quel point il prêchait des convertis.

La *panzanella* est un plat traditionnel toscan sur lequel on peut facilement broder et dont la saveur est fondée sur la qualité du pain et de l'huile et sur l'extrême maturité des légumes. Dans certaines régions de Toscane, avant que les tomates ne soient mûres, la *panzanella* se compose tout simplement de pain, d'huile d'olive, d'oignons et, éventuellement, d'ail frais.

2 épaisses tranches de gros pain de la veille
eau froide
6 tomates mûres coupées en cubes
1 petit oignon rouge coupé en dés ou émincé
1/2 concombre coupé en dés
1 branche de céleri émincée
2 gousses d'ail écrasées
1/2 tasse de feuilles de basilic grossièrement hachées
1/3 de tasse d'huile d'olive vierge extra
2 cuil. à soupe de vinaigre de vin rouge
sel
poivre noir fraîchement moulu

Ôter les croûtes du pain et le couper ou le diviser en petits morceaux. Mettre dans une jatte et arroser d'eau froide : il doit être humide mais non détrempé. Ajouter les légumes, l'ail et le basilic. Assaisonner avec l'huile d'olive et le vinaigre, bien mélanger et rectifier l'assaisonnement. Laisser reposer 30 minutes pour que les saveurs se mêlent.

POUR 4 PERSONNES

RAVIOLI DE MELANZANE

STEPHANIE J'ai souvent mangé des *ravioli* dans les restaurants italiens. Au Ristorante Nello La Taverna, à Sienne, j'ai dégusté de délicieux *ravioli* à l'aubergine (*melanzane*) ressemblant à ceux-ci, mais servis avec une sauce aux fleurs de courgette fondues. Mais mon meilleur souvenir de *ravioli* est ceux de la Taverna e Fattoria dei Barbi del Casato, une ferme restaurant située à quelques kilomètres de la ville vinicole de Montalcino. Je tiens à le répéter, en Italie, c'est la qualité des ingrédients qui détermine si un plat est mémorable ou ordinaire. Ce plat simple de *ravioli* farcis d'épinards et de *ricotta* était un vrai poème. Les *ravioli* étaient plutôt gros : quatre par portion. La pâte était épaisse mais tendre, jaune vif et fleurait bon les œufs de ferme. La *ricotta* était aussi légère que de la crème fouettée et d'une texture à la fois ferme et crémeuse : pas un soupçon de petit-lait ou de grumeaux. Ces *ravioli* étaient donc de simples carrés ventrus remplis d'une farce délicieuse et nappés de beurre noisette à la sauge.

La ferme fabriquait ses propres fromages, *ricotta* et *pecorino*, son huile et son vin et élevait des porcs pour son *salami* maison et ses charcuteries. Elle produisait même son propre charbon de bois pour les grillades !

La *ricotta* se présente sous deux formes différentes. Fraîche et encore ruisselante, comme celle de la ferme Bischi (voir page 161), c'est la version que je préfère. Mais il faut l'égoutter toute une nuit dans une passoire tapissée de mousseline avant de l'utiliser en cuisine. La version plus ferme que l'on trouve dans les supermarchés n'a pas besoin d'être égouttée.

Lorsque nous étions en Italie, c'était la pleine saison des aubergines : bien rebondies, luisantes, elles étaient de taille petite à moyenne. Il n'était pas nécessaire de les saler, contrairement aux plus grosses (dont les graines sont plus grosses aussi) qui doivent toujours l'être pour perdre leur amertume.

La pâte à *ravioli* doit être fine et souple. Celle que nous avons confectionnée pour le *rotolo di spinaci*, page 174, est parfaite. Cette recette est conçue pour 4 très gros *ravioli*, soit 1 par personne.

CI-DESSUS Bouteille ancienne suspendue dans le hall d'entrée de la ferme Bischi.

CI-DESSOUS Rouleaux anciens en bois pour la découpe des *ravioli* et des *spaghetti*, achetés à Florence.

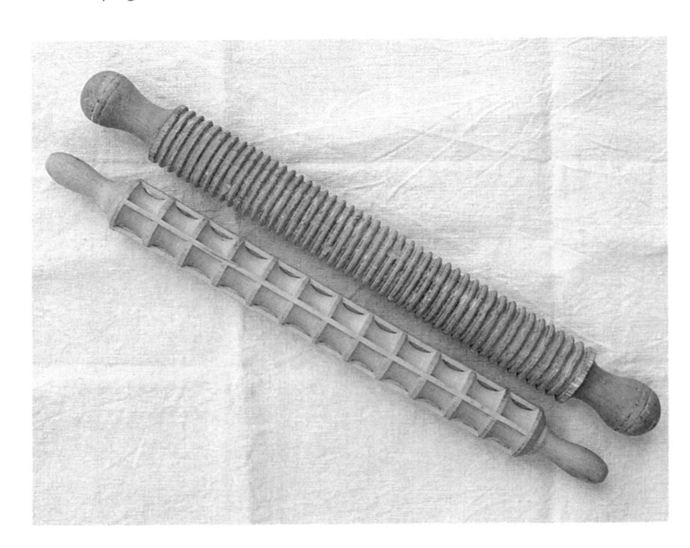

350 g d'aubergines
huile d'olive
2 cuil. à soupe de minuscules câpres rincées et égouttées
1 gousse 1/2 d'ail finement hachée
1/2 tasse de basilic fraîchement haché
1 jus de citron
sel de mer
poivre noir fraîchement moulu
100 g de fromage de chèvre frais ou 200 g de ricotta fraîche, égouttée une nuit
1 portion de pâte (voir page 176)
huile d'olive vierge extra de la meilleure qualité
parmigiano-reggiano fraîchement râpé

Couper les aubergines en rondelles, saler si elles sont grosses et laisser dégorger 30 minutes. Rincer et essuyer à l'aide de papier absorbant, peler et couper en petits dés. Verser 2,5 cm d'huile d'olive dans une poêle et faire dorer les rondelles d'aubergine en les retournant régulièrement. Ôter de la poêle à l'aide d'une écumoire et égoutter sur du papier absorbant. Mettre les aubergines égouttées dans une jatte.

Dans une autre poêle, faire sauter les câpres dans un peu d'huile d'olive et ajouter aux aubergines. Faire revenir l'ail dans la même huile jusqu'à ce qu'il soit transparent et ajouter dans la jatte. Répartir le basilic dans la jatte avec le jus de citron et assaisonner. Incorporer avec précaution le fromage de chèvre ou la *ricotta* et rectifier l'assaisonnement. Laisser macérer quelques instants pour que les saveurs se mêlent.

Préparer la pâte comme indiqué page 176 et diviser en deux avant de laisser reposer. À l'aide d'un laminoir, abaisser chaque morceau de pâte en rétrécissant l'ouverture à chaque passage, jusqu'à la plus fine. Rectifier les bords des feuilles de pâte et faire en sorte qu'elles soient de la même longueur. Poser les feuilles sur un plan de travail fariné. Sur l'une des deux, placer 4 cuillerées de farce tous les 8 cm et aplatir légèrement les petits tas. Badigeonner d'eau la pâte non couverte de farce et recouvrir la première feuille avec. Presser les deux feuilles ensemble tout autour des tas de farce pour les sceller. Couper la pâte de façon à obtenir 4 gros *ravioli*.

Porter à ébullition une grande casserole d'eau, saler et réduire le feu. Glisser 2 *ravioli* dans l'eau : ils vont rapidement remonter à la surface et 2 minutes de cuisson suffiront. Égoutter. Répéter l'opération pour les 2 autres *ravioli*. Dresser les *ravioli* sur des assiettes, arroser d'un peu d'huile d'olive vierge extra (une huile toscane verte, si possible), ajouter du *parmigiano-reggiano* et servir. (Ces *ravioli* sont également délicieux avec du beurre noisette et de la sauge croustillante.)

POUR 4 PERSONNES

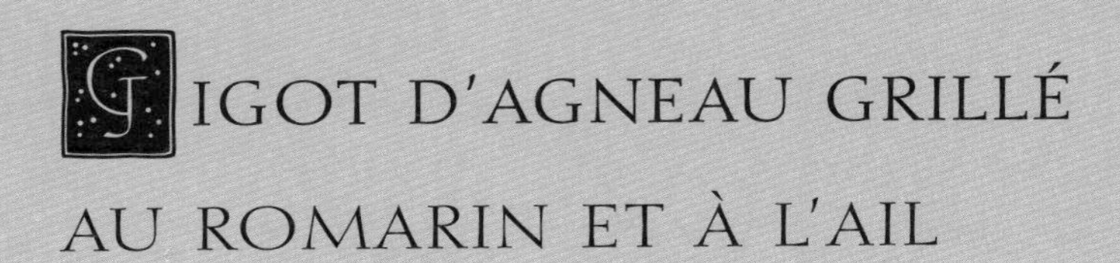

GIGOT D'AGNEAU GRILLÉ AU ROMARIN ET À L'AIL

MAGGIE Les gigots d'agneau trouvés au marché de Florence et chez notre boucher étaient relativement petits. Tony a fait griller à la perfection la viande désossée sur la braise, dans la cheminée de la cuisine : la viande était saisie à l'extérieur, mais rosée et juteuse au centre. Au dernier moment, nous avons eu l'idée de faire fondre un peu de ma pâte de coing et d'en badigeonner la viande pendant qu'elle rôtissait : un délice.

Pour ce festin de grillades, nous avons accompagné le gigot de rondelles de saucisse de sanglier grillées, de foie de veau cuit entier (voir page 104) et de *polenta* grillée au *gorgonzola* (voir page 106). Les jours de grillades étaient mes préférés.

huile d'olive
1 jus de citron
sel
poivre noir fraîchement moulu
3 brins de romarin
4 gousses d'ail
1 petit gigot désossé jusqu'au manche
50 g de pâte de coing fondue

Dans un bol, mélanger quelques cuillerées d'huile d'olive avec le jus de citron, du sel, du poivre et le romarin. Couper l'ail en lamelles. Inciser la viande en plusieurs endroits à l'aide d'un couteau pointu et insérer les lamelles d'ail dans les fentes. Mettre la viande dans un plat à four et napper du mélange à l'huile d'olive. Laisser mariner la viande pendant 1 heure, en la retournant plusieurs fois.

Préparer un feu de bois. Faire chauffer le gril et faire cuire l'agneau à 6 cm au-dessus du feu, en le retournant régulièrement et en le badigeonnant chaque fois de pâte de coing fondue. Le temps de cuisson dépendra de la taille du gigot, environ 30 minutes. Couvrir le gigot et laisser reposer au moins 15 minutes, voire plus, avant de découper : la viande ne refroidira pas.

POUR 6 PERSONNES

CAROTTES, OIGNONS, POMMES DE TERRE ET FENOUIL RÔTIS

STEPHANIE ❧ Ce plat présente des similarités avec la seconde version d'artichauts étuvés de la page 72. La cuisson des légumes avec peu de liquide est une méthode très utile.

Nous avons par ailleurs envisagé d'ajouter des cardons et des poivrades vus sur les marchés. En fait, les cardons sont de la même famille que les artichauts et ressemblent à d'immenses chardons. Mais on en consomme les côtes plutôt que la tête. Les côtes – cardes – sont le plus souvent étuvées dans de l'huile d'olive avec de l'oignon et de l'ail ou ajoutées, hachées, à un ragoût de légumes, une soupe ou un gratin. On peut encore, comme nous l'avons fait pour un déjeuner avec Ann et Aldo (voir page 76), les couper en dés et les apprêter en rissoles. Maggie s'est beaucoup intéressée à la culture des cardons en Toscane : elle en fait pousser dans son jardin du Barossa, mais sans grand succès. Les Toscans ôtent les vieilles feuilles décolorées, rassemblent les côtes, les enveloppent dans du papier et les laissent six semaines dans du sable, comme pour le céleri.

Nous aurions pu ajouter des panais, mais nous n'en avons pas trouvé en Italie.

CI-DESSUS Légumes rôtis dans l'un des ravissants plats d'Anna Rosa. Un trait de vinaigre dans le dernier quart d'heure de cuisson donne une merveilleuse caramélisation.

carottes pelées et coupées en tronçons
petits oignons pelés
petites pommes de terre, pelées ou non
bulbes de fenouil coupés en quatre
huile d'olive
sel de mer
poivre noir fraîchement moulu
gousses d'ail non pelées
citrons (facultatif)
vinaigre balsamique ou bon vinaigre de vin rouge vieux

Préchauffer le four à 200 °C. Mélanger les légumes dans une grande jatte avec une bonne quantité d'huile d'olive, du sel et du poivre. Ajouter un bon nombre de grosses gousses d'ail bien fermes. (On peut ajouter quelques demi-citrons, lesquels ne seront pas mangés mais parfumeront les légumes.) Faire cuire au four dans un plat à fond épais en remuant et en secouant pour que les légumes n'attachent pas. Il faut compter au moins 1 h 30 de cuisson.

Environ 15 minutes avant la fin de la cuisson, arroser les légumes de vinaigre balsamique ou de vin rouge. Pour la dernière étape, mettre le plat sur un gril ou sur un fourneau et faire caraméliser le vinaigre en veillant à enrober tous les légumes.

DARIOLES AU CHOCOLAT ET AU CARAMEL

Nous avons servi ces belles darioles avec du *vin santo* d'Antinori, qui rehausse superbement les saveurs de pâte d'amandes des *amaretti.*

beurre ramolli
1 tasse 1/2 de biscuits amaretti émiettés
1 tasse de lait
1/4 de tasse de crème
100 g de sucre
3 œufs, jaunes et blancs séparés
1/3 de tasse de cacao

CARAMEL
1/4 de tasse d'eau
1 tasse de sucre

SAUCE AUX POMMES ET À L'*AMARO*
6 pommes à couteau
2 cuil. à soupe d'eau
1/2 tasse de sucre
feuilles aromatiques (verveine citronnée, géranium, myrte, laurier) ou 1 gousse de vanille
1/4 de tasse d'Amaro, de grappa ou de cognac, ou à votre convenance

Préchauffer le four à 180 °C. Pour le caramel, faire dissoudre le sucre dans l'eau dans une casserole, sur le feu. Cesser de remuer et faire cuire jusqu'à coloration caramel foncé. Ôter du feu et plonger immédiatement la base de la casserole dans l'eau froide pour arrêter la cuisson. Verser le caramel dans 8 moules à dariole de 125 ml et bien répartir dans le fond. Beurrer les parois des moules.

Faire tremper les biscuits dans le lait et la crème. Battre 45 g de beurre avec le sucre dans un mixeur. Ajouter les jaunes d'œufs un par un en mixant. Ajouter le cacao et les biscuits, sans trop mixer. Monter les blancs en neige ferme et incorporer au mélange aux biscuits. Verser dans les moules, placer ceux-ci dans une lèchefrite tapissée d'un linge et remplir celle-ci d'eau chaude aux deux tiers de la hauteur des moules. Couvrir le tout de papier d'aluminium et faire cuire 25 à 30 minutes, jusqu'à ce que les darioles soient encore souples lorsque l'on appuie doucement dessus. Ôter les darioles du four, mais laisser l'aluminium pendant 5 minutes pour qu'elles ne retombent pas. Réfrigérer, éventuellement.

Pendant la cuisson, préparer la sauce. Peler, évider et émincer les pommes en fines lamelles. Mettre dans une casserole avec l'eau, le sucre et les feuilles ou la vanille. Laisser frémir doucement jusqu'à ce que les pommes soient tendres. Ôter les feuilles ou la vanille et passer les pommes et leur liquide au mixeur. Incorporer de l'*Amaro*. Servir la sauce chaude avec les darioles chaudes ou froides.

POUR 8 PERSONNES

CI-DESSUS Un soir, nous avons servi ces darioles au chocolat et au caramel avec une purée de prunes au lieu de la sauce à l'*Amaro* de cette recette. Le parfum d'amande amère des *amaretti* fait de ces darioles un dessert au parfum subtil. L'*Amaro* présente le même caractère amer et herbeux : ce délicieux *digestivo* muté italien mériterait d'être plus connu.

PANFORTE

STEPHANIE À Sienne, ville natale des *panforte*, toute boutique de *prodotti tipici* en propose une vaste gamme. Notre choix s'est finalement porté sur les *panforte* plus sombres et épicés. Ceux que j'ai achetés à Sienne étaient plus souples que les miens, mais tous se conservent fort bien. J'en ai gardé un plus d'un an dans mon garde-manger, à la maison, dont je prélevais de temps en temps une petite tranche.

Je ne prétends pas que cette recette donne le même résultat que ce que nous avons dégusté à Sienne. Suite à une expérience plus récente, je remplacerais une partie des abricots par du zeste confit d'orange et de citron.

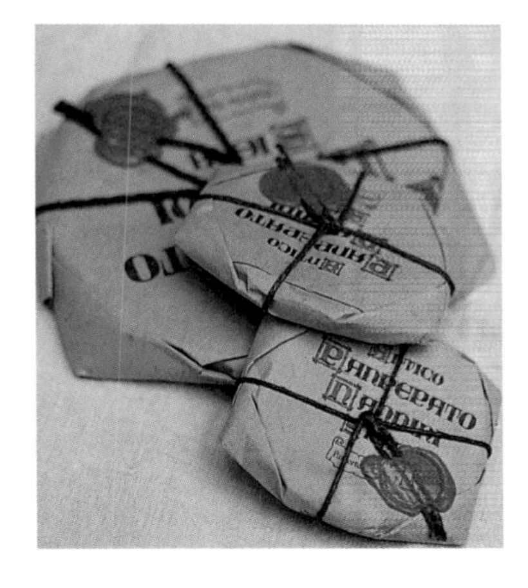

CI-DESSUS *Panforte* achetés à Sienne dans leur emballage traditionnel.

180 g de chocolat noir de couverture
500 g d'amandes mondées et légèrement grillées
1 tasse 1/2 de miel
1 tasse de sucre
200 g de figues confites hachées
250 g d'abricots confits hachés
100 g de gingembre confit haché
250 g de farine
100 g de cacao d'excellente qualité
15 g de cannelle
10 g de poivre blanc moulu
10 g de poivre de la Jamaïque moulu

Porter une casserole d'eau à ébullition, puis régler le feu au plus bas. Casser le chocolat et mettre dans une jatte suffisamment grande pour tenir dans la casserole. Poser la jatte dans la casserole. Couvrir hermétiquement avec un couvercle, du film alimentaire ou du papier d'aluminium pour que ni l'eau ni la vapeur ne viennent abîmer le chocolat (une seule goutte d'humidité ferait tourner le chocolat). Laisser fondre lentement puis refroidir.

Préchauffer le four à 150 °C. Dans une casserole, remuer le miel et le sucre sur feu modéré jusqu'à dissolution du sucre. À l'aide d'un pinceau humide, ôter les cristaux de sucre du bord de la casserole. Plonger un thermomètre à sucre dans le sirop et porter à ébullition. Préparer une autre casserole d'eau froide et un bol d'eau froide contenant des glaçons. Faire cuire le sirop jusqu'à ce que le thermomètre atteigne 112 °C. Plonger la casserole dans l'eau froide et, immédiatement, verser 1 cuil. à café de sirop dans l'eau glacée et former une perle souple entre les doigts. Si la perle s'affaisse, remettre la casserole sur le feu, faire bouillir jusqu'à ce que le thermomètre indique 116 °C et refaire le test. Lorsque le sirop est prêt, incorporer le chocolat et verser le tout sur le reste des ingrédients dans une jatte. Bien mélanger. Verser la préparation dans un moule rond de 28 cm de diamètre ou une lèchefrite de 3 cm de profondeur et faire cuire 30 minutes. Laisser refroidir complètement dans le moule avant de découper.

Plats anciens couverts de raisins noirs, vases remplis de lys

parfumés et de feuilles de laurier luisantes évoquant des toiles du Caravage, gibier à plumes, gâteaux de *porcini*, desserts magnifiques et vins excellents : ces soirs-là, de façon volontairement théâtrale, nous fêtions le meilleur de la Toscane.

Le Banquet

PANZAROTTI

STEPHANIE Chacun de nos stages s'achevait sur un banquet d'adieu couronnant tout ce que nos élèves avaient appris en une semaine. Et, chaque fois, Tony créait un thème de décoration pour la salle à manger. Pour le premier banquet, la pièce tenait d'un somptueux décor de film : raisins noirs empilés sur des plats anciens, vases remplis de lys parfumés et de feuilles de laurier luisantes évoquant des toiles du Caravage, chandeliers en argent et table parée de la plus belle nappe brodée d'Anna Rosa. Pour le second banquet, des brassées entières de marguerites jaunes, de tubéreuses et de lys blancs donnaient le ton. Mais c'est pour le troisième banquet que Tony donna le meilleur de lui-même : les fleurs étaient rouges, blanches et vertes et une nature morte mettait en scène un faisan et une poule faisane, toutes plumes dehors.

MAGGIE Nous commencions chaque banquet par un *spumante* brut d'Antinori et, soit des *pizzette* d'Elena, soit ces *panzarotti*. Pour le second banquet, j'ai mis dans la farce un fromage de chèvre mi-dur, de la *mozzarella* au lait de bufflonne et du *pecorino* vieux et j'ai remplacé le jambon de la recette originale par un *salami* local. Le résultat était encore meilleur que je ne l'avais escompté : lorsque nous mordions dans les *panzarotti*, dorés et aériens, le fromage coulait et les saveurs du *salami* s'épanouissaient.

Il est préférable de préparer la farce et la pâte la veille pour que les saveurs de la farce se mêlent. Et n'oubliez pas d'égoutter la *ricotta* une nuit dans une passoire tapissée de mousseline. Confectionnée avec une bonne quantité d'huile d'olive, la pâte ne s'abîmera pas dans le réfrigérateur si elle est bien couverte. Dans cette recette, on farcit les *panzarotti* au dernier moment, mais on peut aussi abaisser la pâte et la garnir le matin et mettre le tout au réfrigérateur pour ne procéder à la cuisson que le soir.

huile d'olive pour la friture

PÂTE

450 g de farine

5 œufs

1/3 de tasse d'huile d'olive

sel

FARCE

250 g de ricotta égouttée une nuit

2 œufs

100 g de pecorino finement haché

225 g de mozzarella au lait de bufflonne, coupée en petits dés

225 g de salami coupé en petits dés

100 g de parmigiano-reggiano fraîchement râpé

1 tasse de persil plat fraîchement haché

sel et poivre noir fraîchement moulu

Préparer la pâte la veille (c'est la même que pour les pâtes fraîches) : mettre la farine dans une jatte, creuser une fontaine au centre et mettre les œufs dans la fontaine. Ajouter l'huile d'olive et du sel. Mélanger, d'abord à la fourchette, puis avec les doigts. Pétrir 6 à 8 minutes pour obtenir une pâte homogène, élastique et soyeuse, en saupoudrant de farine si elle devient collante. Envelopper dans du film alimentaire et réfrigérer une nuit (si les *panzarotti* doivent être servis le jour même, laisser reposer 30 minutes au moins).

Pendant ce temps, mélanger tous les ingrédients de la farce dans une jatte et réfrigérer.

Environ 1 heure avant de servir, abaisser la pâte aussi finement que possible et découper en rectangles de 30 x 10 cm. Déposer des petites cuillerées de farce sur la longueur, à environ 1 cm du bord, en les espaçant de 2 cm. Humecter le bord et rabattre la pâte sur la farce. Presser les bords ensemble. À l'aide d'un verre ou d'un emporte-pièce rond, découper des demi-lunes le long de la pliure. Décorer la partie coupée à l'aide d'une fourchette ou rabattre le bord. Laisser reposer 30 minutes (jusqu'à cette étape, les *panzarotti* peuvent être préparés le matin pour être servis le soir).

Pendant ce temps, faire chauffer une bonne quantité d'huile d'olive dans une casserole profonde. Lorsqu'elle est très chaude, y plonger quelques *panzarotti* et réduire légèrement le feu pour qu'ils ne brûlent pas. Faire cuire très rapidement, en retournant une fois. Les *panzarotti* vont vite brunir et devenir croustillants. Ôter de la friture et égoutter sur du papier absorbant. Laisser refroidir un peu car la farce est très chaude.

POUR ENVIRON 40 *PANZAROTTI*

FETTUCCINE AUX TRUFFES

CI-DESSUS Le charmant marchand de truffes du marché San Lorenzo a bien voulu couper une truffe en deux pour nous.

PAGE CI-CONTRE Le soir du banquet de notre second stage de cuisine, tout le monde a retenu son souffle lorsque Maggie a soulevé le couvercle du bocal contenant nos truffes. Leur arôme a immédiatement rempli la très grande salle à manger. Maggie a émincé les truffes sur les *fettuccine*. Le repas commençait à la perfection. Nous avons tous décidé qu'il nous fallait un couteau spécial pour couper les truffes en très fines lamelles.

MAGGIE Sur le marché de Florence, nous ne trouvions pas toujours des truffes et certaines, une fois coupées de retour à la villa, n'étaient pas toujours bonnes. Nous sommes retournés chez le marchand, qui nous avait promis un arrivage de truffes fraîches et, à notre grand ravissement, il nous a montré un spécimen de 200 g. Mais à quel prix ! La mort dans l'âme, le charmant jeune homme nous proposa de la couper en deux. Nous avons compris qu'il était préférable d'acheter la moitié d'une grosse truffe plutôt que des petites car, ainsi, on peut examiner l'intérieur. Mais il faut que le vendeur soit assez aimable pour l'accepter (en ouvrant la truffe, on peut voir si des vers sont passés par là. Dans ce cas, la chair est grumeleuse). Nous avons tous plaisanté et fini par acheter 100 g de truffe à un prix d'ami. L'honneur était sauf pour tout le monde !

Si vous ne faites pas cuire les pâtes tout de suite, il est important de les laisser sécher. Pour cela, se référer aux instructions de la page 212. Enfin, il faut compter 10 g de truffe par personne.

1 portion de pâtes fraîches aux œufs de Maggie (voir page 212)
sel
150 g de beurre
1/2 tasse de vin blanc
poivre noir fraîchement moulu
1 pincée de muscade
1/3 de tasse de parmigiano-reggiano fraîchement râpé
100 g de truffe blanche

Porter une marmite d'eau à ébullition. Préparer la pâte comme indiqué page 212, puis la passer 8 à 10 fois dans un laminoir, avec ouverture maximale, jusqu'à ce qu'elle soit luisante et soyeuse. Abaisser la pâte 3 ou 4 fois en rétrécissant l'ouverture à chaque passage, jusqu'à l'avant-dernière. Passer enfin la pâte dans le rouleau à *fettuccine*. Saler l'eau bouillante et faire cuire les pâtes *al dente*, soit quelques minutes : les *fettuccine* poursuivront leur cuisson une fois qu'on y aura ajouté la sauce.

Pendant ce temps, faire fondre le beurre dans une grande casserole, verser le vin et faire bouillir sur feu vif pour réduire un peu. Saler, poivrer et ajouter la muscade. Égoutter les pâtes et les incorporer au mélange au beurre. Ôter la casserole du feu, puis ajouter le *parmigiano-reggiano*. Transférer sur un plat préchauffé et émincer la truffe blanche sur le dessus. Servir sans attendre sur des assiettes chaudes.

POUR 10 À 12 PERSONNES

SALADE DE HARICOTS AUX OIGNONS CARAMÉLISÉS ET AUX ARTICHAUTS

CI-DESSUS Pour deux de nos banquets, nous n'avons pas trouvé de truffes et avons servi cette délicieuse salade avec de la mâche (*valeriana*). Cette salade est composée des trois ingrédients que nous avons fréquemment intégrés dans nos menus : les haricots, les oignons caramélisés et les artichauts étuvés à l'huile d'olive. Pour ne rien gaspiller, nous avons utilisé le liquide de cuisson des haricots pour préparer un *minestrone* (voir page 156) et la sauce pour un *sformato* (voir page 196).

PAGE CI-CONTRE Détail d'une œuvre du Museo Civico, à San Gimignano.

STEPHANIE Les Italiens auxquels nous avons servi cette salade, l'ont adorée, mais ont marqué leur surprise. En Toscane, il n'est pas courant de servir des haricots chauds avec une salade verte, et encore moins de la mâche, sans parler des oignons caramélisés. S'il n'est pas traditionnel, ce plat illustre bien la façon toscane d'employer les meilleurs ingrédients à disposition.

200 g de haricots cannellini fraîchement écossés ou 100 g de haricots secs trempés une nuit
1 oignon finement haché
1 branche de céleri finement hachée
1 feuille de laurier fraîche
1 brin de thym
3 gousses d'ail
artichauts étuvés (voir page 72)
poivre noir fraîchement moulu
sel
mâche ou roquette
persil plat fraîchement haché

OIGNONS CARAMÉLISÉS
20 oignons grelots pelés
1/2 tasse d'huile d'olive vierge extra
1 feuille de laurier
1 brin de romarin

Pour les oignons caramélisés, couper les oignons en quatre et mettre tous les ingrédients dans une poêle à fond épais. Faire cuire 15 minutes à couvert sur feu moyen, en remuant fréquemment. Ôter le couvercle et faire cuire en remuant jusqu'à ce que les oignons prennent une couleur caramel. Peu importe si certaines parties sont très foncées – cela ajoute à la saveur –, il faut toujours remuer pour empêcher les oignons d'attacher (on peut ajouter de l'huile). Ces oignons se conservent plusieurs jours au réfrigérateur, dans leur huile.

Mettre les haricots dans une casserole et couvrir d'eau. Ajouter l'oignon, le céleri, les herbes et l'ail et laisser frémir 45 minutes à couvert (pour des haricots secs, mettre plus d'eau et faire cuire 1 h 30). Quand les haricots sont tendres, transférer dans une jatte et laisser refroidir. Égoutter les haricots en réservant le liquide et ôter les herbes. Dans une sauteuse, faire chauffer un peu de l'huile des oignons caramélisés, ajouter les haricots et 1 tasse de liquide de cuisson et laisser mijoter sur feu moyen. Quand les haricots sont crémeux, assaisonner. Mélanger avec une bonne quantité d'oignons caramélisés et d'artichauts étuvés. Dresser sur un lit de mâche et parsemer de persil.

POUR 6 PERSONNES

SFORMATO DE PORCINI ET SAUCE À LA MOELLE ET AUX PORCINI

STEPHANIE J'ai commencé la sauce du *sformato* trois jours avant le second banquet et j'ai préparé les gâteaux de champignons la veille. Voici un autre exemple d'improvisation permettant d'accommoder les restes : j'ai utilisé le liquide de trempage des *porcini* et le liquide de cuisson des haricots de la salade qui a précédé ce plat (voir page 194) pour remplacer le *brodo* dans celui-ci. Les saveurs de ce plat étaient superbes et complexes. La sauce a été liée avec un soupçon de crème et nous avons ajouté une tranche de moelle pochée sur chaque assiette.

Nous n'avons eu aucun mal à trouver des os à moelle sur le marché San Lorenzo. Le boucher nous les a même coupés à 6 cm de longueur, comme nous le lui demandions. De retour à la villa, nous avons sorti la moelle des os et l'avons mise à tremper dans de l'eau légèrement salée jusqu'à l'emploi (la moelle se conserve ainsi deux jours au réfrigérateur).

beurre
60 g de farine
350 ml de lait chaud
75 g de ricotta
1 cuil. à soupe de parmigiano-reggiano fraîchement râpé
2 cuil. à soupe de persil plat fraîchement haché
1 tasse de porcini ou de champignons des bois émincés
1 cuil. à soupe de marsala sec
3 jaunes d'œufs
sel et poivre noir fraîchement moulu
4 blancs d'œufs
2 tasses de crème

SAUCE
1 poignée de porcini séchés
400 ml d'eau chaude
60 g de beurre
3 tasses de porcini ou de champignons des bois fraîchement émincés
1 cuil. à café d'ail haché
375 ml de Nebbiolo ou d'un autre vin rouge sec
400 ml de brodo de poule (voir page 210) ou de liquide de cuisson de haricots
sel
poivre
1/2 tasse de crème
1/4 de tasse de moelle de bœuf

Pour la sauce, faire tremper les *porcini* séchés dans de l'eau chaude pendant 20 minutes. Les ôter, exprimer le liquide et l'ajouter au liquide de trempage. Hacher finement les *porcini* (on doit obtenir environ 1 tasse) et réserver. Tamiser le liquide de trempage à travers une double épaisseur de mousseline et réserver (on doit obtenir environ 200 ml).

Faire chauffer le beurre dans une poêle à fond épais jusqu'à ce qu'il mousse. Ajouter les champignons frais et faire cuire 5 minutes. Ajouter l'ail et les *porcini* trempés et faire cuire sur feu vif 5 minutes de plus. Incorporer 1 tasse de vin rouge, augmenter le feu et faire réduire en un mélange humide. Ajouter le reste du vin, le liquide tamisé et le *brodo* et laisser frémir 10 minutes. Saler et poivrer.

Préchauffer le four à 180 °C. Faire fondre une noix de beurre et badigeonner 12 moules à soufflé de 125 ml. Faire fondre 60 g de beurre dans une petite casserole à fond épais. Ajouter la farine et faire cuire 2 minutes sur feu moyen en remuant. Ajouter le lait chaud par petites quantités, sans cesser de remuer (on peut remplacer un tiers du lait par du liquide de trempage de haricots d'un autre plat). Porter à ébullition, réduire le feu et laisser frémir 5 minutes. Ôter du feu. Écraser la *ricotta* à la fourchette et ajouter au mélange avec le *parmigiano-reggiano* et le persil. Laisser refroidir quelques minutes.

Pendant ce temps, faire sauter les champignons dans un peu de beurre jusqu'à ce qu'ils soient tendres, ajouter le marsala. Incorporer les jaunes d'œufs au mélange à la *ricotta*, goûter la préparation, rectifier l'assaisonnement et incorporer les champignons. Battre les blancs d'œufs jusqu'à ce qu'ils soient crémeux et incorporer rapidement au mélange à la *ricotta* et aux champignons.

Répartir la préparation entre les moules et lisser la surface. Ranger les moules dans un plat tapissé d'un linge et verser de l'eau aux deux tiers de la hauteur des moules. Faire cuire environ 20 minutes, jusqu'à ce que les gâteaux soient fermes au toucher et bien gonflés. Ôter du four : les gâteaux vont dégonfler et se « friper ». Laisser reposer 1 minute, puis démouler.

Juste avant de servir, préchauffer le four à 200 °C. Pour terminer la sauce, porter 1/2 tasse de crème à ébullition. Réchauffer la sauce aux champignons dans une casserole, puis incorporer à la crème chaude. Faire pocher la moelle émincée 3 minutes dans l'eau, ôter de la casserole et tenir au chaud.

Mettre les gâteaux dans un plat beurré, en les espaçant bien, et napper chacun de 2 cuil. à soupe de crème. Faire gonfler et dorer 15 minutes au four. Dresser avec précaution chaque gâteau sur une assiette chaude, entourer de sauce, ajouter quelques lamelles de moelle parmi les champignons et servir.

POUR 12 PERSONNES

CI-DESSUS Ces superbes « gâteaux » salés cuits deux fois ont la couleur de l'argile, comme les Crete di Siena, un secteur à la formation géologique argileuse du sud de Sienne. Paolo de Marchi, le vigneron d'Isole e Olena, et sa femme Marta ont été nos invités lors du second banquet. Pendant le stage, Paolo nous avait expliqué combien il était important que vignerons et vinificateurs sachent « lire le paysage ». Il était heureux que nous y soyons parvenus avec la nourriture !

FAISAN AU VIN SANTO, CHÂTAIGNES ET PANCETTA

Avant de quitter l'Australie, nous avions décidé que le plat principal, pour chaque banquet, serait du faisan. En fait, nous nous sommes aperçus qu'acheter du faisan en Italie n'était pas si simple – et que ceux que nous trouvions étaient généralement criblés de plombs ! En fait, ce que nous avions prévu pour ces dîners festifs et ce que nous avons fait en réalité n'avait pas grand-chose à voir : notre réflexion sur la maturité des produits italiens et leur nature saisonnière, mais également notre philosophie consistant à « s'adapter aux circonstances » en sont la raison.

2 tasses de brodo de poule (voir page 210)
2 faisans de 1 kg chacun
vin santo
20 g de beurre
huile d'olive
200 g de châtaignes pelées, fraîches ou surgelées
200 g de petits oignons pelés
sel
poivre noir fraîchement moulu
12 tranches de pancetta

MARINADE
1/2 tasse d'huile d'olive
1 jus d'orange
4 lanières de zeste d'orange
4 brins de thym
2 feuilles de laurier
1 cuil. à café de baies de genièvre écrasées

PAGE CI-CONTRE Notre directeur artistique maison, Tony, s'est surpassé pour notre dernier banquet. Le point central du décor était cette nature morte décorant l'une des fenêtres de la salle à manger.

Faire réduire le *brodo* jusqu'à ce qu'il ne reste qu'une tasse. Ôter la colonne vertébrale de chaque faisan, puis aplatir l'oiseau avec la paume de la main. Éliminer toute trace de sang à l'intérieur. Dans une jatte, mélanger tous les ingrédients de la marinade. Badigeonner la peau des faisans avec la marinade, en rajoutant de l'huile d'olive, si besoin, pour que la marinade adhère bien. Laisser mariner pendant 2 heures. Réserver la marinade restante.

→ *page 200*

Préchauffer le four à 250 °C. Faire rôtir les faisans 10 minutes, peau au-dessus, pour les caraméliser. Les retourner et terminer la cuisson, soit environ 10 minutes de plus. Vérifier la cuisson des volatiles en tirant sur une cuisse : elle doit se détacher facilement. La viande doit être rosée mais en aucun cas rouge. Ôter les faisans du four, les placer sur une grande assiette chaude, peau en dessous, et couvrir de papier d'aluminium. Ne pas éteindre le four.

Mettre le plat de cuisson sur feu vif et déglacer avec 150 ml de *vin santo* et, le cas échéant, la marinade réservée. Bien gratter le fond. Ajouter le *brodo* et faire réduire pour obtenir une sauce.

Faire chauffer le beurre dans une poêle à fond épais jusqu'à ce qu'il soit couleur noisette, puis ajouter un trait d'huile d'olive. Ajouter les châtaignes et les oignons et faire cuire en partie, puis ajouter un trait de *vin santo* et couvrir pour terminer la cuisson.

Ajouter les oignons et les châtaignes à la sauce et faire réduire à la consistance désirée. Vérifier l'assaisonnement. Sur une plaque, faire griller la *pancetta* quelques minutes dans le four chaud et ajouter aux faisans. Présenter les faisans rôtis et la *pancetta* sur un plat de service et servir la sauce séparément.

POUR 4 PERSONNES

CI-DESSOUS ET PAGE CI-CONTRE

Plumer les faisans. Ces volatiles sauvages étaient somptueux, bien faisandés mais… criblés de plombs.

P INTADE AUX AGRUMES

PAGE CI-CONTRE Pintade aux agrumes : gibier, orange et genièvre forment un accord très particulier. Le matin du dernier banquet, nous commencions à nous détendre lorsque nous nous sommes aperçus que nous n'avions plus de baies de genièvre. Une promenade en forêt nous a permis d'en trouver des fraîches. Nous avons coupé une branche ou deux et les avons cachées dans une poche jusqu'à notre retour dans la cuisine.

MAGGIE Ce plat a pris une forme différente à chaque banquet, selon les trésors que nous découvrions sur le marché. La pintade était particulièrement bonne accompagnée de *miagawa*, une orange sicilienne à l'écorce vert très foncé et à la pulpe orange vif. Son goût se situe entre celui du citron et celui de l'orange. Pour l'un des banquets, nous avons employé des clémentines à la saveur d'une orange sucrée. Pour un autre, j'ai glissé sous la peau une pâte de truffe faite avec de la chapelure et du beurre et j'ai badigeonné les oiseaux d'huile à la truffe.

3 pintades de 800 g chacune
3 oranges, oranges amères, mandarines ou citrons verts, ou 12 kumquats
6 feuilles de laurier fraîches
6 fines tranches de pancetta
6 oignons moyens ou 12 échalotes
huile d'olive vierge extra
3 grosses endives braisées ou 2 petits bulbes de fenouil braisés (voir page 205)

MARINADE
2 jus d'orange
8 lanières de zeste d'orange
8 brins de thym
4 feuilles de laurier fraîches
2 cuil. à café de baies de genièvre écrasées
huile d'olive

SAUCE
1 gros oignon grossièrement haché
2 petites carottes grossièrement hachées
2 branches de céleri grossièrement hachées
huile d'olive vierge extra
150 ml de vin santo
500 ml de brodo de poule (voir page 210)

Préchauffer le four à 250 °C. Ôter la colonne vertébrale de chaque pintade puis aplatir l'oiseau avec la paume de la main. Éliminer toute trace de sang à l'intérieur. Dans une jatte, mélanger tous les ingrédients de la marinade en ajoutant juste assez d'huile d'olive pour humidifier le mélange. Badigeonner la peau des pintades avec la marinade, en rajoutant au besoin de l'huile d'olive pour que la marinade adhère bien. Laisser mariner pendant 2 heures. Réserver la marinade restante, le cas échéant, en prélevant quelques cuillères à soupe pour la salade de pintade de la page 204.

Diviser les oranges en quartiers et répartir entre deux plats à four, de même que les feuilles de laurier, la *pancetta* et les oignons. Arroser d'huile d'olive. Ajouter les pintades et faire rôtir 10 minutes, peau au-dessus, pour les caraméliser. Les retourner et terminer la cuisson, soit environ 10 minutes de plus. (À ce stade, les oignons doivent aussi être caramélisés.) Vérifier la cuisson des volatiles en tirant sur une cuisse : elle doit se détacher facilement. La viande doit être rosée mais en aucun cas rouge. Ôter les pintades du four, les placer sur une assiette chaude, peau en dessous, couvrir de papier d'aluminium et laisser reposer au moins 20 minutes. Rassembler les quartiers d'orange, les oignons et la *pancetta* dans un des plats. Ne pas éteindre le four.

Pour découper chaque pintade, détacher chaque cuisse du corps, puis trancher l'articulation de la cuisse pour séparer le pilon. Désosser la cuisse, sans ôter la peau, mettre dans le plat vide, face coupée dans les sucs de cuisson, et réserver pour la salade ci-dessous. Mettre les pilons dans le plat contenant les quartiers d'oranges, les oignons et la *pancetta*. Détacher les blancs et ajouter dans le plat. Hacher les carcasses et réserver.

Pour la sauce, faire caraméliser l'oignon, les carottes et le céleri avec un trait d'huile d'olive pendant 40 minutes. Sans ôter les légumes, déglacer le plat sur feu vif en ajoutant le *vin santo* et, le cas échéant, le reste de marinade. Bien remuer. Ajouter les carcasses et verser le *brodo*. Faire bouillir rapidement pour réduire la sauce (celle-ci ne doit pas être trop épaisse). Tamiser la sauce et jeter les légumes. Couper chaque endive braisée en deux (s'il s'agit de fenouil, couper chaque bulbe braisé en trois), puis ajouter au plat contenant les oranges.

Bien répartir les ingrédients dans le plat et réchauffer 2 à 3 minutes dans le four. Ôter la *pancetta* et réserver pour la salade ci-dessous. Porter la sauce à ébullition et verser dans le plat. Dresser sur des assiettes chaudes et servir.

POUR 6 PERSONNES

SALADE DE PINTADE AUX NOIX, FOIES ET RADICCHIO

Nous avons servi cette salade après le plat de pintade. Faire griller à sec 12 cerneaux de noix pendant 6 à 8 minutes à 200 °C. Ôter la peau en frottant les cerneaux dans un linge, si les noix ne sont pas de saison. Badigeonner avec la marinade réservée les cuisses de pintade désossées réservées (recette précédente) et faire griller rapidement au barbecue ou sur une poêle à griller. Les tourner à 90 degrés pour former un motif de croisillons sur la peau et réserver. Faire sauter 6 foies de pintade ou de poulet dans une poêle à fond épais jusqu'à ce qu'ils soient saisis et fermes, mais rosés à l'intérieur. Choisir 6 belles feuilles internes de *radicchio* et les garnir de la viande, des foies, des noix et de la *pancetta* cuite dans la recette précédente. Servir immédiatement avec une vinaigrette d'huile d'olive vierge extra, de jus de citron et d'orange frais, de sel et de poivre noir fraîchement moulu.

ENDIVE OU FENOUIL BRAISÉ

Le braisage requiert une quantité de liquide relativement limitée par rapport à l'ingrédient principal. Le liquide entoure et nourrit l'ingrédient principal, chacun apportant ses arômes à l'autre. Si le temps de cuisson est correctement estimé, le liquide sera devenu une sauce juste au moment où l'ingrédient principal sera prêt. Le choix d'un plat aux dimensions appropriées est très important.

De par leur agréable amertume, ces légumes sont bons pour accompagner un plat de saveur relativement neutre comme des cailles rôties ou, au contraire, un plat dont la richesse sera compensée par l'amertume des légumes : jambonneau, pied de porc, pigeonneau, faisan ou pintade.

Ce mode de préparation convient parfaitement bien au fenouil, à condition de choisir de petits bulbes.

CI-DESSUS Tony prépare une décoration florale pour une soirée de banquet.

beurre
endives ou bulbes de fenouil
sel
poivre noir fraîchement moulu
brodo (voir page 210)

Préchauffer le four à 180 °C. Beurrer un plat à gratin pouvant juste contenir le nombre requis d'endives ou de bulbes de fenouil. Rouler les légumes dans du beurre fondu, puis les ranger dans le plat et assaisonner. Verser le *brodo* à mi-hauteur des légumes. Découper un morceau de papier sulfurisé aux dimensions exactes du plat et placer sur les légumes en appuyant bien. Couvrir d'un couvercle ou d'une double épaisseur de papier d'aluminium. Faire cuire 20 minutes au four.

Ôter le plat du four et retourner les légumes. Remettre le plat au four, sans couvercle ni papier sulfurisé, et faire cuire 20 minutes. Les légumes doivent être tendres et la sauce réduite et sirupeuse. Si les légumes sont cuits mais baignent toujours dans leur liquide, les transférer sur une assiette chaude et faire bouillir fortement le liquide sur le feu. Pour une touche finale parfaite, remettre les légumes dans le plat quand il ne reste que quelques cuillerées de liquide.

SAUCISSES OU BOULETTES DE VIANDE

En ajoutant à ce plat des petites saucisses ou des boulettes de viande bien parfumées, on obtient un repas complet à moindres frais. Cette façon de cuisiner est aussi simple que délicate : toutes les saveurs vont se combiner délicieusement et l'on peut allonger légèrement le temps de cuisson si le jus de cuisson semble devoir être réduit davantage ou si les saucisses ne sont pas assez dorées.

IL DUOMO (ZUCCOTTO)

CETTE PAGE ET CI-CONTRE Elena présentant le *zuccotto*, spécialité de Florence et inspirée du dôme de la cathédrale de la ville. Il s'agit d'un gâteau chemisant un grand saladier, dont les côtes représentent celles du fameux dôme de Brunelleschi.

Pour notre dernier banquet, nous étions vingt-deux convives, Tony, Elena et Peter se joignant à nous chaque fois qu'ils le pouvaient. Nous avions invité Anna Rosa et son époux, Constantino, tous les deux enchantés par les compositions de fleurs vertes, rouges et blanches de Tony.

Le *zuccotto* a été préparé et dressé par Elena, avec l'aide de Tony, qui l'avait décoré de rangées de perles d'argent en sucre et de losanges de zeste de pamplemousse rose confit. Il s'était autant appliqué que pour un costume de scène. En secret, Elena avait préparé des lettres S et M. en chocolat pour chaque portion. Le sommet du *zuccotto* était couronné d'une *cupola* de pêches et le sirop à la *grappa* était teinté de rose par du jus d'oranges sanguines. On aurait dit un dôme de cathédrale auréolé d'un soleil couchant.

GÂTEAU

1 tasse 1/2 de farine
1 cuil. à café 1/2 de levure chimique
1 pincée de sel
1 cuil. à soupe de jus de citron
1/4 de tasse de lait
125 g de beurre ramolli
3/4 de tasse de sucre semoule
3 œufs

SIROP AU CITRON

1/4 de tasse d'eau
1 tasse 3/4 de sucre
1/4 de tasse de jus de citron
1/4 de tasse de jus d'orange
1/4 de tasse de limoncello ou de grappa

GARNITURE

200 g de chocolat amer de couverture
1 tasse de crème
125 g de sucre glace
1 tasse de mascarpone
100 g de ricotta égouttée
100 g d'amandes mondées grossièrement hachées
100 g de noisettes grillées, mondées et grossièrement hachées
100 g de zeste de cédrat, de pamplemousse ou de citron confit (voir page 69) haché

PAGE CI-CONTRE L'équipe : de gauche à droite, Tony, Stéphanie, Elena, Maggie et Peter devant la Villa di Corsano.

Préchauffer le four à 160 °C. Pour le gâteau, huiler un moule à cake de 23 x 13 x 8 cm et le tapisser de papier sulfurisé. Tamiser ensemble la farine, la levure chimique et le sel. Mélanger le jus de citron et le lait et réserver. Battre le beurre et le sucre en pommade jusqu'à ce que le mélange soit épais et jaune pâle, puis ajouter les œufs un à un en battant vigoureusement. Incorporer un tiers de la farine en battant légèrement. Ajouter la moitié du lait au jus de citron et le reste de la farine et mélanger. Verser la préparation dans le moule et faire cuire environ 1 heure, jusqu'à ce que la pointe d'un couteau insérée au centre ressorte propre. Démouler le gâteau sur une grille et laisser refroidir complètement avant de découper.

Pendant ce temps, mettre un saladier à fond rond de 1,5 litres au réfrigérateur pour le rafraîchir. Pour le sirop, faire chauffer doucement l'eau et le sucre dans une casserole et remuer jusqu'à dissolution du sucre. Ajouter les jus de citron et d'orange. Ôter la casserole du feu et incorporer la liqueur choisie.

Découper le gâteau en tranches de 5 mm d'épaisseur, puis chaque tranche en deux dans la diagonale. Badigeonner les tranches de sirop au citron, puis chemiser le saladier rafraîchi avec les tranches de gâteau : la pointe de chaque tranche doit être tournée vers le fond et chaque bord présentant une croûte doit être juxtaposé avec un bord sans croûte, de façon à rappeler les lignes du fameux dôme (pendant cette opération, garder à l'esprit les cannelures du dôme pour ne pas se tromper : lorsque le dessert sera démoulé, les cannelures iront du sommet à la base du gâteau). Veiller à ce que la surface du saladier soit complètement couverte. Le cas échéant, boucher les trous avec du gâteau humecté. Il doit rester suffisamment de gâteau pour le « couvercle » qui sera ajouté par la suite. Réserver tout reste de sirop.

Pour la garniture, râper la moitié du chocolat. Faire fondre le reste du chocolat au bain-marie. Ôter la casserole du feu et laisser le chocolat refroidir sans se solidifier.

Fouetter la crème et le sucre glace dans une jatte réfrigérée jusqu'à ce qu'elle soit très ferme. Passer le *mascarpone* au mixeur pour le ramollir, puis fouetter avec la *ricotta*. Incorporer ce mélange à la crème fouettée sucrée. Incorporer les amandes, les noisettes, le zeste confit et le chocolat haché ou râpé. Mettre un tiers du mélange dans une jatte, ajouter le chocolat fondu refroidi et bien mélanger.

Étaler la préparation sans chocolat fondu sur le gâteau humide garnissant le saladier et bien lisser en laissant de la place au centre. Remplir le centre avec le mélange au chocolat fondu et lisser le dessus. Recouvrir des tranches de gâteau réservées. Couvrir le saladier de film alimentaire et réfrigérer une nuit ou 24 heures.

Pour démouler, retourner le *zuccotto* avec précaution sur un plat et humecter avec le sirop réservé s'il semble trop sec. Découper en parts et servir tel quel ou avec une compote de fruits pochés.

Le Garde-manger

Bouillon

Brodo

Le *brodo* italien est d'une consistance plus fine et moins concentrée que le bouillon français. Il s'agit le plus souvent d'un mélange de viande crue et d'os et de restes de poule, d'où sa délicatesse.

En Italie, il n'est pas courant de faire réduire le bouillon en sauce épaisse ni d'y incorporer du beurre ou de la crème.

1 kg d'os de veau ou de bœuf hachés (ou un mélange des deux) plus quelques morceaux de viande tendineuse
1 poule (avec son gésier)
1 carotte pelée et hachée
1 oignon pelé et haché
1 branche de céleri
1 poireau lavé et émincé
3 tiges de persil
1 feuille de laurier
1 brin de thym
1 grosse tomate coupée en deux et épépinée

Mettre tous les ingrédients dans un faitout et couvrir d'eau froide. Porter lentement à ébullition et écumer. Réduire à un léger frémissement et faire cuire 4 heures. Tamiser et laisser refroidir sans couvrir. Réfrigérer le *brodo* refroidi et ôter la graisse figée à la surface. Employer le *brodo* dans un délai de quelques jours ou le faire bouillir à nouveau. Ne l'assaisonner qu'au moment où le plat auquel on l'a ajouté est presque terminé.

POUR 3 LITRES

Bouillon aromatisé

Pour apporter une saveur spécifique au bouillon, on peut y ajouter des restes de pigeon, de caille ou de lapin. Dans ce cas, mettre plus de légumes et d'eau. Porter au point de frémissement, écumer et laisser frémir pendant 2 heures.

Brodo de poule

Le *brodo* de poule que nous avons confectionné pendant nos stages était délicieux et ce, grâce à la qualité de la volaille.

1 poule de 2 kg
2 carottes hachées
2 branches de céleri parées et hachées
3 gros oignons hachés
3 brins de persil
2 brins de thym
2 gousses d'ail
4 grains de poivre noir
sel

Mettre tous les ingrédients, sauf le sel, dans un faitout et couvrir d'eau. Porter lentement à ébullition et écumer. Réduire à un léger frémissement et faire cuire 2 heures. Tamiser et saler. Séparer la viande des os et réserver pour un autre usage. Réfrigérer le *brodo* refroidi et ôter la graisse figée à la surface. Employer le *brodo* dans un délai de quelques jours ou le faire bouillir à nouveau.

POUR 2 À 3 LITRES

Fumet de poisson

Voici le fumet de base que nous avons employé pour notre ragoût du pêcheur (voir page 116) et pour modifier le caractère de notre *risotto au radicchio*, page 93.

40 g de beurre
1 gros oignon finement haché
1 poireau lavé et finement haché
1 carotte finement hachée
1/2 branche de céleri finement hachée
1 kg de têtes de dorades nettoyées et grossièrement hachées
1/2 tasse de vin blanc sec
1 à 1,5 l d'eau froide
10 tiges de persil plat hachées
1 brin de thym
1/2 feuille de laurier
1/2 cuil. à café de safran en poudre (facultatif)

Faire fondre le beurre dans un grand faitout, ajouter tous les légumes et les faire suer 2 minutes sans les laisser se colorer. Ajouter les têtes de dorades et faire suer 1 minute supplémentaire. Verser le vin blanc, laisser bouillir vigoureusement quelques minutes, puis ajouter l'eau froide, les herbes et, le cas échéant, le safran. Laisser frémir 20 minutes. Égoutter dans une passoire ou une mousseline en pressant doucement les arêtes et les légumes. Laisser refroidir, puis réfrigérer. Employer le jour même.

Champignons

CONSERVES

Cette méthode est fondée sur celle de l'ouvrage d'Antonio Carluccio, *An Invitation to Italian Cooking*. Mais nous lui avons ajouté le processus de stérilisation consistant à faire chauffer les bocaux remplis et fermés hermétiquement. De nombreuses recettes traditionnelles omettent cette étape. Malgré notre confiance dans les méthodes traditionnelles, nous tenions à observer une extrême prudence.

En Italie, les magnifiques *porcini* charnus sont conservés de cette façon. Mais on peut recourir à la même méthode pour des champignons de culture bien fermes. Les uns comme les autres font de merveilleux *antipasti*.

1 kg de champignons
700 ml de vinaigre de vin blanc
300 ml de verjus
3 feuilles de laurier fraîches
3 gousses d'ail
1 cuil. à soupe de sel
huile d'olive

Nettoyer les champignons en éliminant ceux qui ne sont pas fermes. Porter le vinaigre et le verjus à ébullition dans une grande casserole émaillée ou en Inox. Ajouter le laurier, l'ail, le sel et les champignons. Faire cuire 6 minutes en maintenant les champignons immergés. Ôter les champignons à l'aide d'une écumoire et placer sur un linge propre, pieds vers le bas. Tamiser le liquide de cuisson et le réserver, de même que le laurier et l'ail.

Verser un peu d'huile d'olive dans un bocal stérilisé, ajouter une couche de champignons, une gousse d'ail et une feuille de laurier, couvrir d'huile et enfoncer les champignons avec une cuillère pour éliminer les bulles d'air. Répéter l'opération jusqu'à épuisement des champignons et couvrir d'huile d'olive.

Fermer les bocaux hermétiquement, les envelopper dans du papier et maintenir par un élastique. Placer les bocaux dans une marmite, remplir d'eau froide à hauteur des couvercles, porter à ébullition et maintenir l'ébullition 1 h 30. Laisser refroidir dans l'eau. Ôter le papier, essuyer les bocaux et conserver à l'abri de la lumière.

POUR 1,5 LITRES

À L'HUILE

Émincer grossièrement les champignons, saler et laisser dégorger 1 heure. Bien essuyer. Faire chauffer un peu d'huile d'olive dans une poêle et faire rapidement sauter les champignons pour en éliminer l'eau. Placer dans des bocaux stérilisés, ajouter quelques grains de poivre et couvrir d'huile d'olive. Procéder comme ci-dessus.

DANS LEUR JUS

Bien nettoyer les champignons. Les conserver entiers à moins qu'ils soient vraiment gros (dans ce cas, les couper en deux ou en quatre). Ajouter le jus de 2 ou 3 citrons dans une grande casserole d'eau salée et porter à ébullition. Plonger les champignons dans la casserole et laisser bouillir 3 minutes. Égoutter les champignons et les ranger dans des bocaux stérilisés, en les serrant bien et en les intercalant de sel et de quelques grains de poivre. Procéder comme ci-dessus.

MÉTHODE D'ANGELO BONACCI

Angelo et Mary Bonacchi vivent à Myrtleford, Victoria, en Australie. Leurs caves sont remplies de rangées de bocaux de fruits et de légumes : cerises, figues, pêches, poivrons, maïs, pickles d'aubergines et champignons. Voici la méthode de conservation d'Angelo. Nettoyer les champignons et les couper en petits morceaux. Dans une casserole, porter à ébullition une quantité égale de vinaigre et d'eau, avec beaucoup de sel (contre la moisissure), et faire cuire les champignons pendant 15 minutes. Égoutter les champignons, les placer sur un linge propre et laisser sécher une nuit. Le lendemain, mettre les champignons dans un récipient émaillé ou en inox en les intercalant d'ail haché, de persil et d'origan séché. Couvrir d'huile d'olive et laisser tremper une nuit. Placer les champignons dans des bocaux stérilisés et recouvrir complètement d'huile d'olive.

Huile à l'ail

Durant nos stages, nous avons conservé en bocal une bonne quantité d'ail très finement haché dans de l'huile d'olive vierge extra. Couvrant l'ail sur 1 cm, l'huile se conservait une bonne semaine au réfrigérateur. Nous en badigeonnions de la viande et des légumes grillés et l'utilisions dès qu'il fallait rehausser la saveur d'un plat.

Pâtes

PÂTES FRAÎCHES AUX ŒUFS DE MAGGIE

Les pâtes fraîches confectionnées à la main sont nettement différentes de celles faites au robot de cuisine. Le pétrissage manuel – qui dure entre 10 et 20 minutes, selon votre habileté – donne une pâte merveilleusement luisante.

Si l'on veut abaisser la pâte puis la couper en lanières à la main, on trouve dans les magasins spécialisés des laminoirs italiens bon marché qui facilitent grandement la tâche. Ces « machines » manuelles se vissent sur le plan de travail et se composent de trois rouleaux, dont deux pétrissent et abaissent la pâte et le troisième la découpe. L'écartement entre les rouleaux se commande par un bouton situé sur le côté du laminoir. Lorsque l'on passe la pâte pour la première fois dans le laminoir, les rouleaux sont positionnés sur l'ouverture maximale : on réduit ensuite celle-ci progressivement jusqu'à ce que la pâte soit finement abaissée. On la découpe alors avec le rouleau à lames. En règle générale, ces laminoirs sont vendus avec deux rouleaux à lames : un pour les *spaghetti* et un pour les *fettuccine*. Mais on peut en acheter d'autres séparément.

La plus grande ouverture sert essentiellement à pétrir la pâte. Pour obtenir les meilleurs résultats, replier les extrémités de la pâte sur le centre de façon à obtenir une feuille faisant un tiers de sa dimension d'origine. La repasser dans le laminoir, replier, et ainsi de suite. Avec le rouleau suivante, d'ouverture plus petite, il n'est pas nécessaire de replier la pâte, mais il est conseillé de la passer plusieurs fois. Plus la pâte passera dans le laminoir, plus elle sera fine. Il est pratique, à mesure que l'on passe la pâte dans le rouleau, de se faire aider par quelqu'un qui la récupère à la sortie. Par ailleurs, il peut être nécessaire de couper la pâte à une longueur plus facile à manipuler : plus elle est longue à l'entrée du rouleau, plus elle l'est à sa sortie ! Enfin, pour obtenir une pâte parfaite, il est bon de la passer plusieurs fois dans l'avant-dernier rouleau. Une fois qu'elle a l'épaisseur désirée, il ne reste plus qu'à la passer dans le rouleau à lames pour la découper.

Les proportions données ici conviennent pour 6 à 12 personnes.

500 g de farine de blé dur non blanchie
sel
4 œufs de 55 g chacun
6 jaunes d'œufs
4 l d'eau

Mettre la farine mélangée avec du sel sur le plan de travail et creuser une fontaine au centre. Battre ensemble les œufs entiers et les jaunes et mettre dans la fontaine. Les incorporer à la farine à l'aide d'une fourchette. Si la pâte est trop sèche, ajouter un jaune supplémentaire. Pétrir la pâte jusqu'à ce qu'elle soit luisante et ferme au toucher, soit au moins 10 minutes. Former une boule, envelopper dans du film alimentaire et réfrigérer 30 minutes.

Diviser la pâte en quatre. Passer 8 à 10 fois chaque portion dans l'ouverture maximale d'un laminoir, jusqu'à ce qu'elle soit luisante et soyeuse, en repliant les extrémités vers le centre à chaque passage. Passer la pâte 3 à 4 fois dans les autres rouleaux, jusqu'à l'avant-dernier. Découper la pâte à l'aide du rouleau à lames de son choix. Couvrir la pâte de film alimentaire si on compte l'employer tout de suite. Sinon, voir le paragraphe ci-dessous concernant le séchage.

Dans une cocotte, porter de l'eau à ébullition et saler. Glisser doucement les pâtes dans l'eau dès la reprise de l'ébullition, couvrir partiellement et faire bouillir. Pour les pâtes fraîches, le temps de cuisson est d'environ 3 minutes. Remuer doucement les pâtes pour qu'elles restent bien séparées (1 cuil. à soupe d'huile d'olive dans l'eau peut être utile). Égoutter les pâtes cuites – ce qui est plus facile si les pâtes ont été plongées dans l'eau dans un filet métallique – et réserver un peu de liquide de cuisson, le cas échéant, pour humidifier le plat fini. Ne pas rafraîchir les pâtes sous l'eau froide : elles perdraient leur précieux amidon qui permet à la sauce ou à l'huile d'adhérer.

POUR 500 G

SÉCHAGE DES PÂTES

Si vous ne faites pas cuire les pâtes tout de suite, il est important de les faire sécher environ 3 heures. Pour ce faire, suspendre les lanières de pâte sur le dossier d'une chaise ou sur un manche à balai placé entre deux chaises, en veillant à ce qu'elles ne se touchent pas. La cuisson est identique à celle des pâtes fraîches mais sera un peu plus longue.

PÂTES AUX HERBES

La pâte indiquée à la page 211 prendra une autre dimension si l'on y incorpore des herbes fraîchement hachées. Pour un simple effet moucheté, il suffit d'ajouter dans la farine une petite quantité d'herbes séchées (du romarin, par exemple) très finement coupées. Pour colorer les pâtes en vert, on emploie des herbes fraîches comme du persil, de l'oseille ou du basilic (ou des légumes : épinards, ciboule…). Dans ce cas, il faut davantage d'herbes (à peu près une poignée, très finement hachée) et moins d'œufs. Pour commencer, ôtez-en un et, si la pâte est trop sèche, ajoutez un jaune supplémentaire.

Sauces

MAYONNAISE

Les Italiens font la mayonnaise avec de l'huile d'olive et des œufs et, parfois, du jus de citron. Ils n'ajoutent pas de moutarde mais, bien souvent, des épinards cuits hachés, des herbes ou du thon. L'une des mayonnaises italiennes les plus connues est celle du *vitello tonnato* (voir page 126).

3 jaunes d'œufs
1 pincée de sel
jus de citron ou vinaigre de vin blanc
300 ml d'huile d'olive
poivre blanc ou Tabasco

Poser un récipient sur un linge humide pour qu'il ne bouge pas. Travailler les jaunes d'œufs avec le sel et 1 cuil. à soupe de jus de citron pendant 1 minute, jusqu'à ce que le mélange soit homogène. Incorporer d'abord quelques cuillerées d'huile d'olive une à une et bien émulsionner à la cuillère en bois après chaque addition. Une fois un tiers de l'huile émulsionné, verser le reste en filet en remuant vigoureusement. (Cette opération est plus facile si une autre personne verse l'huile.) Vérifier l'acidité et ajouter quelques gouttes de jus de citron, le sel et du poivre. Si la mayonnaise est préparée à l'avance, la couvrir de film alimentaire (pour empêcher la formation d'une peau) et réfrigérer. Avant de servir, laisser revenir à température ambiante et remuer pour qu'elle retrouve son onctuosité.

POUR 1 TASSE 1/2

AU MIXEUR ÉLECTRIQUE

La mayonnaise peut se préparer au mixeur ou au batteur électrique. Mais, de cette façon, elle absorbera beaucoup plus d'air et n'aura pas la même couleur ni la même texture. Suivre la méthode ci-dessus en mélangeant d'abord les œufs et le sel, puis en ajoutant progressivement l'huile pendant que le moteur tourne.

PESTO

Le *pesto* est originaire de Gênes, sur la côte ligurienne, au nord-ouest de la Toscane, mais le principe de moudre ou hacher des pignons de pin, de l'ail, des herbes et du fromage et d'y ajouter de l'huile se retrouve dans toute l'Italie. Le *pesto* remplace parfaitement la *salsa agresto* (voir page 23) pour accompagner légumes et viandes grillés.

100 g de pignons de pin
175 ml d'huile d'olive vierge extra
1 tasse de feuilles de basilic
sel
poivre noir fraîchement moulu
50 g de parmigiano-reggiano *fraîchement râpé*
50 g de pecorino *fraîchement râpé*

Faire griller les pignons de pin à sec dans une poêle, en remuant, jusqu'à ce qu'ils soient dorés. Mettre 1/4 de tasse d'huile d'olive et tous les ingrédients, sauf le fromage, dans un mixeur et réduire en pâte. Vérifier l'assaisonnement et incorporer le reste de l'huile et le fromage.

POUR 1 TASSE 1/2

Tomates

TOMATES CONFITES

Ces tomates rôties lentement sont merveilleuses avec du fromage de chèvre frais, dans une salade de saumon fumé ou mariné, dans des pâtes aux anchois ou dans une salade de poulpe à la roquette.

tomates mûres
huile d'olive vierge extra
feuilles de basilic
brins de thym
gousses d'ail pelées
sel de mer de la meilleure qualité
poivre noir fraîchement moulu

Préchauffer le four à 100 °C. Couper les tomates en deux dans la longueur. Choisir un plat à four pouvant contenir les tomates sur une seule couche et huiler généreusement. Tapisser le fond du plat d'une couche de feuilles de basilic se chevauchant, de brins de thym et de gousses d'ail pelées. Ajouter les tomates, face coupée en dessous. Saler généreusement, poivrer et arroser d'huile d'olive. Couvrir et faire cuire 5 heures. Laisser refroidir complètement. Ces délicieuses tomates se conserveront 3 ou 4 jours.

'STRATTU

MAGGIE J'ai entendu parler pour la première fois du *'strattu* dans le livre de Mary Taylor Simetti, *Pomp and Sustenance*. Il s'agit de tomates réduites en purée, salées et séchées au soleil, où elles sont fréquemment retournées pour que toute l'humidité s'évapore. Traditionnellement, le *'strattu* est préparé sans cuisson, mais on peut le faire cuire d'abord pour accélérer le processus. La version crue, d'un goût plus frais et acidulé, est de couleur rouge vif et non rouille, mais sa préparation prend une semaine. La cuisson préalable réduit le temps de préparation de moitié.

Les tomates doivent être très mûres et parfaites, non abîmées. Les olivettes sont plus appropriées car elles contiennent moins d'humidité que les autres et, de ce fait, font une purée dense qui ne coulera pas lorsqu'on la mettra à sécher. Pour 1 kg de *'strattu*, il faut 12 kg de tomates et 1,5 pour cent du poids des tomates en sel.

12 kg de tomates olivettes mûres
180 g de sel
brins de basilic (facultatif)
huile d'olive

Laver et équeuter les tomates, puis couper en petits morceaux. Passer les tomates à la moulinette pour éliminer la peau et les graines, puis saler la purée. À cette étape, on peut ajouter quelques brins de basilic.

Étaler la purée fraîche sur une table propre en bois, en plein soleil, à l'aide d'une spatule en plastique. (Si vous n'avez pas employé d'olivettes, il faudra commencer le séchage sur des plateaux pour empêcher que la purée ne coule de la table.) Remuer et rassembler la purée avec la spatule chaque fois que l'on passe devant : cela aide au séchage. Le nombre de fois où cette opération sera réalisée déterminera la durée du séchage. Rentrer la table le soir pour que la purée ne prenne pas l'humidité.

Lorsque le *'strattu* est aussi sec que de l'argile, ôter le basilic (le cas échéant) et mettre le mélange dans des bocaux stérilisés, en appuyant bien pour éliminer les bulles d'air. Verser de l'huile d'olive et fermer. Le *'strattu* se conserve plusieurs mois avant ouverture.

POUR 1 KG

CUISSON PRÉALABLE

Pour réduire la période de séchage, faire d'abord cuire la purée. Choisir un grand faitout émaillé ou en inox et faire bouillir une petite quantité de purée (la tomate attache et brûle facilement) jusqu'à ce qu'elle ait réduit, rajouter de la purée, et ainsi de suite. Transférer sur la table et procéder comme ci-dessus.

TOMATES SÉCHÉES AU SOLEIL

Les tomates que l'on veut sécher, totalement ou en partie, doivent être restées sur pied jusqu'à complète maturité. Ce point est encore plus important que la variété de tomates. Si elles sont grosses, les couper en rondelles de 2 cm d'épaisseur ; pour des olivettes, les couper en deux dans la longueur. Les tomates cerises peuvent être coupées en deux ou mises à sécher entières (mais c'est beaucoup plus long).

Saupoudrer les tomates d'un peu de sel de mer (attention à ne pas trop les saler) et les faire sécher au soleil sur des claies pendant 2 ou 3 jours, moins longtemps pour un séchage partiel, en les rentrant la nuit pour éviter la rosée. Protéger les tomates des mouches en les couvrant de mousseline ou d'un grillage fin. Et ne jamais les laisser devenir trop sombres : elles seraient trop sèches.

Au lieu de faire sécher les tomates au soleil, on peut employer un déshydrateur ou un sécheur électrique : le processus prendra 3 à 4 heures, selon l'épaisseur des tomates. Une autre possibilité consiste à les faire sécher une nuit au four.

Les tomates séchées au soleil ont une longue durée de vie, tandis que les tomates partiellement séchées, se détériorant plus vite, doivent être réfrigérées. Les deux doivent être conservées dans de l'huile d'olive.

AIL

On peut intercaler les tomates coupées en rondelles ou en deux d'ail, de sel et de poivre pour les faire sécher au soleil. On peut ensuite les servir en *antipasto*, lorsqu'elles sont partiellement séchées, ou les conserver dans l'huile.

TOMATES SÉCHÉES AU SOLEIL FARCIES

Dans son livre *Honey from a Weed*, Patience Gray indique une excellente façon d'utiliser les tomates séchées au soleil. Elle les farcit d'anchois, de câpres ou de graines de fenouil et les conserve dans l'huile d'olive avec des feuilles de laurier fraîches pour les servir en *antipasto*. Les olivettes sont idéales pour cela : on les fend en deux en conservant la queue et on met la farce au centre.

Glossaire

La liste ci-dessous contient des termes culinaires et des ingrédients italiens que certains lecteurs ignorent peut-être. Les mots italiens sont en *italique* et les termes en caractères **gras** renvoient à une entrée de ce glossaire. Celui-ci n'a pas la prétention d'être un glossaire complet des termes culinaires et ingrédients italiens, mais des termes employés dans cet ouvrage.

agresto (verjus)
C'est le jus de raisins verts ou non mûrs que l'on utilise comme agent acidulant (dans une vinaigrette, par exemple), dans des sauces ou des plats de volaille ou de poisson. Le verjus est acidulé comme le jus de citron et acide comme le vinaigre. Mais il ne possède pas l'âpreté de ces deux ingrédients et confère aux plats une subtile saveur de raisin. Voir aussi ***salsa agresto***.

al dente
Littéralement, « à la dent ». Terme employé pour décrire la juste cuisson des ***pasta*** et du ***risotto***, qui doivent être tendres à l'extérieur tout en conservant une certaine fermeté à l'intérieur.

amaretti
Biscuits légers et croquants semblables à des macarons, et aromatisés aux amandes amères ou aux amandes d'abricot.

Amaro
Digestif italien de couleur sombre, à base d'herbes, originaire des Abruzzes.

anchois
L'anchois est un petit poisson proche de la sardine qui se vend entier ou en filet, frais, salé ou en conserve, dans de l'**huile d'olive**. Très répandu sur le pourtour méditerranéen, on en fait également des pâtes, des crèmes et des beurres.

antipasto
Littéralement, « avant le repas ». Il s'agit d'un hors-d'œuvre froid généralement présenté en début de repas ou à l'apéritif sous la forme d'un assortiment de charcuteries (***salami***), de légumes marinés ou grillés (olives, aubergines, **artichauts**), de ***frittata***, etc.

arborio
Riz à grain moyen ou rond employé dans le ***risotto***. Sa haute teneur en amidon apporte la texture crémeuse essentielle dans ce plat. D'autres variétés de riz conviennent également au *risotto*, dont le *carnaroli* et le *vialone*. Le riz *arborio* s'emploie également pour des desserts.

artichaut
Les gros artichauts à tête globuleuse de la variété *romanesco* sont employés de diverses façons dans la cuisine italienne : cuits à la vapeur, pochés, farcis, frits, etc. Les petits artichauts jeunes, quant à eux, sont suffisamment tendres pour être consommés crus. Une fois coupés, les artichauts doivent être plongés dans de l'**eau acidulée** pour les empêcher de noircir.

arugula/rugula/rucola
Salade aux feuilles poivrées appelée roquette en France.

biscotti
Biscuits ou, plus précisément, les biscuits toscans cuits deux fois.

biscuits à la cuiller
Appelés *biscotti savoiardi* en italien, ces biscuits légers (boudoirs) sont employés pour confectionner certains desserts : souvent plongés dans de la liqueur, ils sont superposés en alternance avec de la crème ou du ***mascarpone***. Le *tiramisù* est l'exemple le plus connu de ce type de dessert.

bocconcini
Petits fromages frais ronds qui ne sont ni traités ni affinés. Généralement vendus en saumure, on les sert souvent coupés en lamelles en ***antipasto*** ou dans une salade.

borlotti voir haricots

brodo
Bouillon ou fond de cuisson, mais bien plus léger que la version française, réduite après une cuisson longue. On l'utilise dans la préparation de la *minestra* (soupe) et du ***risotto***.

Brunello di Montalcino
Vin rouge sec, charpenté, corsé et tannique issu d'un clone du cépage sangiovese qui s'est particulièrement bien adapté à la région autour de Montalcino.
Selon la règlementation des **DOCG**, le Brunello di Montalcino doit être vieilli en fût au moins trois ans et mis en vente après une durée totale d'élevage de quatre ans. Après cinq ans, il devient *riserva*.

bruschetta
Tranches de pain à la mie compacte, grillées au charbon de bois ou sur un gril en fonte, puis recouvertes de divers ingrédients. Les marques de carbonisation font partie du charme de cette spécialité, tout comme l'arôme de charbon de bois. Voir ***crostini***.

cannellini voir haricots

câpre
Bouton floral du câprier, une plante du pourtour méditerranéen, que l'on conserve en saumure. Recherchez les minuscules câpres des îles Éoliennes, au large de la Sicile, conservées en saumure ou dans du sel, préférables aux qualités bon marché conservées dans du vinaigre. Salées, les câpres doivent être rincées soigneusement, mais avec la plus grande douceur, avant l'emploi : placez-les dans une passoire à pied et plongez celle-ci plusieurs fois dans un récipient d'eau propre pour rincer les boutons sans les abîmer.

caprese
Littéralement, « de Capri », et nom donné à une salade de tomates à la ***mozzarella*** et au basilic assaisonnée d'**huile d'olive** vierge extra de la meilleure qualité.

cardon
Plante potagère de la famille du chardon et de l'**artichaut**, dont il est proche par la saveur. Mais on consomme plutôt ses jeunes côtes fermes, les cardes, que sa tête. Pour préparer les cardons, on ôte d'abord les côtes dures, puis on effile les branches tendres et on les fait précuire avant de les braiser ou les cuire au four en gratin avec une sauce béchamel.

carpaccio
Hors-d'œuvre italien. Traditionnellement, il s'agit de tranches extrêmement fines de faux-filet de bœuf cru que l'on sert avec une mayonnaise légère. Aujourd'hui, la mode est également au *carpaccio* de poisson.

cavolo nero (chou noir)
Chou de Toscane à longues feuilles bleu-vert, ingrédient traditionnel du ***minestrone***. Sa saveur agréablement amère résiste à une cuisson longue, pendant laquelle les feuilles prennent une couleur presque noire. On peut lui substituer le chou vert frisé de Milan qui, cependant, n'a pas exactement le même goût.

Chianti
Région de Toscane s'étendant entre Sienne, au sud, et Florence, au nord, et réputée pour son vin rouge du même nom. Vendu en fiasque gainée de paille, le jeune chianti est un assemblage de sangiovese (principal cépage de cette région), de trebbiano, de malvasia et, parfois, de canaiolo. Dans certains cas, on ajoute du moût de raisins séchés non fermenté (*il governo*) au jus fermenté pour introduire une légère pétillance. Le meilleur chianti ne contient pas de *governo* et vieillit trois ans dans des fûts de chêne ou des cuves avant sa mise en bouteilles. Dans ce cas, c'est une *riserva*. Voir aussi **chianti classico**.

chianti classico
Vin rouge sec provenant d'un secteur spécifique du **Chianti** et issu traditionnellement du cépage sangiovese (aujourd'hui, il peut comprendre jusqu'à 10 pour cent de cépages non traditionnels comme le cabernet sauvignon, le merlot ou le shiraz) et de 5 pour cent au maximum de cépages blancs. Classé **DOCG**, le chianti classico est considéré comme l'un des meilleurs vins d'Italie. Élevé pendant un an dans le chêne, il est ensuite mis en bouteilles, où il est vieilli 12 mois de plus. Le col des bouteilles de chianti classico est orné d'un sceau représentant un *gallo nero* (coq noir) sur fond or. Voir aussi **Chianti**.

cinghiale
Sanglier sauvage peuplant les forêts d'Italie. Sa viande tendre, semblable à celle du veau, est employée dans les sauces pour ***pasta*** et les ragoûts. Mais elle peut aussi être marinée et rôtie, transformée en saucisse ou en ***prosciutto***.

crespelle
Crêpes très fines fourrées d'une farce salée ou sucrée.

crostini
Fines tranches de pain à la croûte plutôt fine (comme celle de la baguette) qui sont soit passées

sous le gril, soit grillées au four, soit frites dans de l'**huile d'olive** ou du beurre. Les ***crostoni*** sont tout simplement une version plus grande des *crostini*.

crostoni voir crostini

DOC/DOCG
La Denominazione di Origine Controllata (DOC) et la Denominazione di Origine Controllata e Garantita (DOCG) sont le système de réglementation des produits régionaux d'Italie, qu'il s'agisse de vin, de ***prosciutto***, de vinaigre balsamique, de fromage et, plus récemment, d'**huile d'olive**. Concernant les vins, le principe de la DOC impose certaines pratiques viticoles et vinicoles depuis son introduction, dans les années 1960. Celles-ci concernent, notamment, la délimitation des régions, les cépages, les rendements, les degrés alcooliques, le vieillissement, etc. La mention *garantita* désigne les tout meilleurs vins d'appellation italiens. Parmi les DOCG, on compte Albana di Romagna, Barbaresco, Barolo, **Brunello di Montalcino**, **chianti classico** et Vino Nobile di Montepulciano. Tout vin ne bénéficiant pas d'une DOC est étiqueté *vino da tavola* (vin de table). Il reflète ou non le caractère authentique du ou des cépages qu'il contient, mais aussi les aspirations du vinificateur. Notons qu'il existe en Italie de très beaux vins ne bénéficiant d'aucune appellation, dont font partie les **super tuscans**. Voir aussi ***parmigiano-reggiano***.

eau acidulée
Eau à laquelle on a ajouté du jus de citron, des rondelles de citron ou du vinaigre. Il est nécessaire de plonger certains légumes et fruits pelés (les **artichauts**, par exemple) dans de l'eau acidulée pour les empêcher de noircir.

fenouil
Disponible sous forme de graines ou de bulbes frais, le fenouil est un légume qui se consomme cru ou braisé, frit, etc. Le bulbe et les graines présentent un goût anisé et ont la réputation d'être excellents pour la digestion. C'est pourquoi les Italiens mangent souvent du bulbe de fenouil cru à la fin du repas à la place des fruits. La *finocchiona* est une spécialité toscane composée de ***salami*** et de graines de fenouil.

gamberetti
Minuscules crevettes de la Méditerranée que l'on fait cuire à peine une minute dans l'eau avant de les assaisonner et de les servir en ***antipasto***. On les mange généralement entières, sans les décortiquer.

gelato
Crème glacée italienne à base de sirop de sucre ou de crème et/ou de jaunes d'œufs. Le pluriel de *gelato* est *gelati*.

gnocchi
Petites boulettes faites d'une pâte de pomme de terre ou de farine à laquelle on ajoute parfois des légumes réduits en purée comme du potiron ou des épinards. Brièvement pochées, elles s'accompagnent d'une sauce. C'est également le nom donné à une variété de pâtes sèches en forme de petite coquille.

gorgonzola
Fromage crémeux italien à pâte persillée, à base de lait de vache et au goût très prononcé. En cours d'affinage, on y introduit des fils de fer en inox ou en cuivre pour que la moisissure se répartisse de façon homogène.

grappa
L'équivalent du marc français. Cette eau-de-vie s'obtient en distillant les peaux et les pépins restant dans la presse après le pressurage des raisins. Le *caffè corretto* est un café auquel on a ajouté un trait de *grappa*.

gremolata
Mélange de zeste de citron, d'ail et de persil hachés très fin. On l'ajoute souvent aux plats braisés, dont l'*osso buco*, juste avant de servir.

grissini
Bâtonnets en forme de crayon, faits de pâte à pain additionnée d'huile. On les sert avec des ***antipasti*** ou pour accompagner le ***pinzimonio***.

haricots
Les Toscans sont qualifiés de *mangiafagioli* (mangeurs de haricots), et pour cause : ils emploient les haricots frais ou secs dans une multitude de plats – soupes, ragoûts, braisés et purées – qu'ils servent en accompagnement ou sur des ***crostini*** ou en ***bruschetta***. En Italie, nous avons utilisé les magnifiques haricots *borlotti* rose foncé et crémeux et les *cannellini*, plus petits, que l'on trouve secs ou frais, en fonction de la saison. Les haricots frais sont excellents, surtout si on les cultive soi-même, mais se remplacent facilement par des haricots secs. Ces derniers doivent être mis à tremper pendant une nuit, puis cuits pendant environ 1 h 30, tandis que les haricots frais n'ont pas besoin de trempage et cuisent en 45 minutes.

huile d'olive
L'huile d'olive existe en une grande variété de saveurs allant de très légère à noisetée et très fruitée. Sa couleur va du vert foncé à l'or pâle. Plus la couleur est sombre, plus la saveur est riche. La couleur et la saveur dépendent de la qualité et de la variété d'olive, du climat et du sol dans lequel pousse l'olivier, du soin avec lequel il est cultivé, ainsi que de la façon dont l'huile a été extraite et conservée. Les huiles d'olive toscanes sont réputées pour leur saveur fruitée et leur touche de poivre, signes de la fraîcheur de la saison de pousse de l'arbre.

L'huile d'olive vierge extra, issue de la première pression à froid, possède moins de 1 pour cent d'acidité, exprimée en acide oléique (parfois appelé acide gras libre). Sa saveur ne doit pas présenter de défaut. L'huile d'olive vierge ne peut excéder 1,5 pour cent d'acidité. L'huile d'olive qui ne répond à aucun de ces deux critères est raffinée et mélangée avec de l'huile d'olive vierge pour sa saveur et sa couleur : c'est ce que l'on appelle l'huile d'olive « pure ».

La meilleure qualité d'huile d'olive vierge extra est une véritable révélation pour celui qui a l'habitude des huiles raffinées par traitement chimique. Elle est très prisée en Italie et apporte une importante contribution à maints plats, dont la ***panzanella*** (voir page 181), tout comme les tomates bien parfumées. Il convient de l'employer pour assaisonner tout plat dans lequel l'arôme est un critère important. Pour la cuisson, l'huile d'olive vierge suffit.

lasagne
Pâtes alimentaires cuites se présentant sous la forme de feuilles. On les sert en gratin en les alternant avec des couches de viande ou de légumes, de fromage et de sauce béchamel. Le mot *lasagna* (singulier) indique une feuille de pâte.

limoncello
Eau-de-vie, spécialité de Capri. Il s'agit d'un distillat de céréales dans lequel on a fait infuser du zeste de citron.

mâche
Salade (*valeriana* en italien) encore appelée doucette, valérianelle potagère, raiponce ou oreille-de-lièvre. Elle se présente sous la forme de rosettes aux feuilles vertes duveteuses. De goût légèrement amer, la mâche pousse également à l'état sauvage en Europe et se cueille lorsque les feuilles sont encore jeunes.

mascarpone
Fromage frais à la crème à base de lait de vache. Il entre dans la confection de nombreux desserts et de sauces accompagnant les pâtes.

melanzane
Aubergine.

mezzaluna
Littéralement, « demi-lune ». Hachoir manuel à large lame courbe et muni de deux poignées. Nommé berceau en français.

minestrone
Soupe de légumes épaisse comprenant généralement des **haricots** et, parfois, des ***pasta***. Le *minestrone* toscan contient également du ***cavolo nero***, un chou de couleur bleu-vert. *Minestra* est le nom italien signifiant soupe. La *minestrina* est un bouillon.

mortadella
Grosse saucisse cuite, spécialité de Bologne. Sa farce délicate et tendre à base de viande de porc et de bœuf possède la teneur en matière grasse la plus élevée de toutes les saucisses cuites. Certaines variantes contiennent des grains de poivre et d'autres des pistaches. La *mortadella* se sert généralement telle quelle, coupée en tranches, mais aussi en dés dans des sauces, des farces pour **pasta** ou des sautés.

mostarda di Cremona
Condiment originaire de Crémone, en Lombardie, servi traditionnellement avec le *bollito misto*, un pot-au-feu de viandes et de légumes longuement cuits dans un bouillon. En Italie, certains fruits comme les abricots, les pêches, les cerises et les figues sont conservés dans un sirop aromatisé avec cette moutarde.

mozzarella
Fromage frais fait avec du lait de bufflonne dans le sud de l'Italie et du lait de vache dans le reste du

pays. Elle se présente sous la forme de boules ou de pains conservés dans de l'eau salée ou du petit-lait.

myrte
Le myrte est un arbuste dont les feuilles sont employées dans les pays méditerranéens pour la saveur légèrement résineuse qu'elles confèrent au gibier et à la viande rôtie. Séchées, ses baies bleues (presque noires) au goût poivré sont utilisées écrasées comme les baies de genièvre.

osteria voir trattoria

pancetta
Poitrine maigre de porc salée, puis étuvée, roulée et saupoudrée de poivre mais non fumée. La *pancetta* se sert en fines tranches ou se coupe en tranches épaisses puis en dés que l'on ajoute dans des sauces.

panettone
Gâteau à pâte levée, spécialité de la ville de Milan. Agrémenté de dés de zeste confit et de fruits secs, il se sert tel quel ou grillé.

panforte
Gâteau dense et épicé originaire de la ville de Sienne. Il contient du zeste confit, des noix, du miel, parfois du cacao, et une petite quantité de farine.

panna cotta
Littéralement, « crème cuite ». Entremets délicatement parfumé, fait avec du lait et de la crème et présenté en ramequins individuels.

panzanella
Salade rustique toscane composée généralement de pain frais du jour, de tomates, d'oignons, de céleri, de concombre, d'ail et de basilic. Le tout est assaisonné d'une vinaigrette composée de vinaigre de vin rouge et d'**huile d'olive** vierge extra. La qualité des ingrédients est déterminante pour la réussite du plat.

panzarotti
Petits pâtés garnis d'un mélange tel que fromage et jambon ou ***salami***, puis frits dans l'**huile d'olive**.

pappa al pomodoro
Soupe rustique toscane dont les principaux ingrédients sont du pain frais du jour, de la tomate et du ***brodo***.

parmigiano-reggiano
Le meilleur parmesan d'Italie, produit dans une **DOC** aux normes très strictes du Nord de l'Italie. Avec le lait de vaches qui ont pâturé dans l'herbe fraîche, on fabrique chaque année, d'avril à novembre, la *grana*, un fromage granuleux au goût relevé, doux et noiseté. Le lait entier de la traite du matin est mélangé avec le lait partiellement écrémé de la veille au soir. Aucun agent chimique ou colorant n'est employé, la présure et le sel étant les seuls additifs autorisés. Les jeunes fromages sont ensuite plongés dans un bain de saumure, ce qui explique que le sel soit autorisé. Chaque cylindre de *parmigiano-reggiano* doit peser entre 33 et 44 kg et être affiné au moins quatorze mois. Après trois ans d'affinage, le *parmigiano-reggiano* est qualifié de *stravecchio* (« très vieux ») et, après quatre ans, de *stravecchione* (« encore plus vieux »). Des inspecteurs indépendants contrôlent régulièrement les fromages à la recherche de tout défaut. Les meules agréées sont marquées au fer rouge (un sceau ovale certifie le mois et l'année de production) et l'ensemble de la croûte est marqué à l'aide d'une matrice à points indiquant que le fromage est du *parmigiano-reggiano*. La meule peut également porter un sceau de qualité pour l'exportation.
Dans le Nord de l'Italie, on fabrique bien d'autres fromages *grana*, mais ceux-ci ne peuvent bénéficier de l'appellation *parmigiano-reggiano*. Parmi eux, les deux plus connus sont le *grana padano* (plus doux et meilleur marché que le *parmigiano-reggiano*, affiné six mois, c'est un bon fromage à râper) et le ***pecorino*** (fromage de brebis à râper, classique dans le Sud de l'Italie).

passata
Sauce tomate fraîche faite avec des tomates qui ont été moulinées.

pasta
Fraîches ou sèches, les pâtes alimentaires existent sous plus de 300 formes différentes. Certaines ne sont vendues que sèches (variétés en forme de tube), tandis que d'autres existent dans les deux versions (*linguine, tagliatelle, fettuccine, spaghetti,* ***lasagne***). Les pâtes fraîches se pétrissent et se découpent à la main ou à la machine (voir page 212). Les pâtes du commerce sont pétries à la machine et la pâte est mise en forme ou extrudée par d'énormes rouleaux en métal. Si les rouleaux sont en acier inoxydable ou en Téflon, les pâtes seront souples. S'ils sont en bronze, les pâtes auront davantage de texture et un aspect plus terne : elles sont considérées comme supérieures car leur texture confère une meilleure adhésion aux sauces qui les accompagnent.
Le blé dur, dont on extrait la ***semolina*** (semoule), est la céréale la plus employée dans le Sud de l'Italie pour la fabrication des pâtes : il convient tout particulièrement aux pâtes sèches, qui nécessitent une cuisson plus longue. Dans le Nord de l'Italie, les pâtes comme les *fettuccine*, les *tagliatelle* et les *linguine* sont traditionnellement fabriquées avec des farines de blé plus tendre mélangées avec de l'œuf : la cuisson des pâtes est plus rapide.
Certaines pâtes sont colorées, plus pour des questions d'esthétique que de goût, à l'épinard (vertes), au safran (jaunes), à l'encre de seiche (noires), à la betterave (rouge) ou encore à la tomate (rouge).
Les pâtes fraîches sont faciles à confectionner soi-même.

pecorino
Fromage au lait de brebis qui se vend frais ou affiné. Le *pecorino romano*, un fromage à râper, en est probablement la variété la plus connue.

pesto (pistou)
Sauce composée d'ail, de pignons de pin et de basilic pilés et émulsionnés avec de l'**huile d'olive** et du ***parmigiano-reggiano***. Originaire de Gênes, le *pesto* sert traditionnellement de sauce pour les *spaghetti*, le ***minestrone*** et les ***lasagne*** génoises, mais on l'utilise aussi en remplacement de la ***salsa agresto*** (voir page 23).

piadina
Galette de pain cuite sur une plaque de terre cuite, ou ***testa***, et proche du *chapati* indien.

pinzimonio
Version italienne des crudités françaises. En guise de hors-d'œuvre, on plonge de jeunes légumes crus dans une bonne **huile d'olive**, du sel de mer et du poivre.

polenta
Farine de maïs cuite dans une quantité variable d'eau et/ou de bouillon (et parfois de lait, pour des entremets) et souvent aromatisée avec du beurre et du ***parmigiano-reggiano***. De la consistance d'une bouillie, on la sert en plat d'accompagnement ou on la laisse durcir, puis on la découpe en parts que l'on fait griller ou cuire au four.

polpettine
Petites boulettes de viande souvent aromatisées avec du ***parmigiano-reggiano*** et des herbes.

porcini
Littéralement, « petits porcs ». Appelés cèpes en français, ces champignons charnus du genre bolet s'achètent frais pendant la saison (mai à novembre, selon la variété) ou séchés, toute l'année. Leur chapeau est de couleur variable, du beige au brun presque noir, et leur pied est trapu.
En France, il existe plus de vingt variétés de cèpes comestibles véritables, encore appelés cèpes nobles. Ce sont notamment le cèpe de Bordeaux, le cèpe d'été (ou réticulé), le cèpe des pins de montagne et le tête-de-nègre, encore appelé cèpe bronzé et cèpe noir. On peut remplacer le cèpe véritable par d'autres espèces comestibles de bolets, moins nobles mais moins onéreuses et disponibles de fin juin à novembre, selon la variété. Ce sont, entre autres, le bolet blafard, le bolet indigo (ou indigotier), le bojet jaune des pins et le bolet royal.
Les *porcini* séchés doivent être mis à tremper environ 20 minutes dans l'eau avant l'emploi. On peut ensuite tamiser l'eau de trempage et l'utiliser pour aromatiser bouillons, soupes ou ***risotto***.

prosciutto crudo
Littéralement, « jambon cru », par opposition au *prosciutto cotto* (jambon cuit). Les jambons crus italiens les plus connus en France sont le *prosciutto di Parma* (jambon de Parme) et le *prosciutto di San Daniele* (jambon de San Daniele).

provolone
Fromage à pâte dure au lait de vache, spécialité du Sud de l'Italie (Campanie). Généralement affiné quelques mois seulement, il devient fromage à râper, comme le parmesan, lorsqu'il est vieux. Il se présente sous diverses formes et pèse de 1 à 5 kg.

radicchio
Variétés de chicorée de couleur rouge, verte, blanc crème ou panachée. Certaines sont à pomme compacte (*radicchio di Chioggia*) et d'autres à

rosettes (*radicchio di Treviso*, ou chicorée de Trévise). Souvent amer, le *radicchio* se sert en salade avec un assaisonnement relevé, ou grillé et frit. On l'ajoute parfois à des plats cuits comme le ***risotto***. La trévise est très courante sur les marchés de France, de même que la chicorée rouge de Vérone, aux feuilles nervurées de blanc.

rapa
Légume aux feuilles vert foncé de la famille du navet et du brocoli, appelé *rapini, broccoletti di rape, broccoli raab* (ou *rabe*) en italien. D'une saveur légèrement noisetée, il peut être émincé et sauté pour être servi en légume d'accompagnement ou être ajouté, entre autres, à un ***risotto***.

ravioli
Pâtes alimentaires faites de deux carrés superposés enfermant une farce à la viande, aux légumes ou au fromage. Les *ravioli* sont cuits dans l'eau puis, dans certaines recettes, passés au four.

ribollita
Littéralement, « re-bouillie ». C'est le nom que prend un ***minestrone*** que l'on réchauffe après y avoir ajouté du pain.

ricotta
Littéralement, « recuite ». Fromage frais granuleux fabriqué avec le petit-lait résultant de l'égouttage de fromages de vache, de brebis ou de chèvre, en particulier la ***mozzarella*** et le ***provolone***. On écume tout d'abord le petit-lait pour en ôter les parties solides puis on le fait chauffer.

risotto
Plat obtenu en faisant cuire lentement du riz tout en ajoutant petit à petit du bouillon très chaud et en remuant fréquemment. Le *risotto* nécessite l'emploi d'un riz riche en amidon et à texture ferme qui résiste bien à une cuisson longue. Les variétés de riz les plus appropriées sont l'***arborio***, le *carnaroli* et le *vialone*. Selon la recette, on agrémente le *risotto* de légumes, de fruits de mer, etc.

ristorante voir trattoria

rotolo
Littéralement, « rouleau ». Large feuille de ***pasta*** recouverte d'une garniture puis roulée en forme de tube, pochée et coupée en tranches.

salame/salami
Saucisson sec italien. Le vrai *salami* est fait de viande crue et est ensuite fumé ou non. Il s'agit en règle générale d'un hachis grossier de porc frais dont l'ail est l'épice principale. La nature du *salami* dépend d'un certain nombre de facteurs : les types et la quantité de viandes employés, la proportion de gras par rapport au maigre, la grosseur de hachage du gras – fin ou grossier – et sa répartition dans la viande maigre, le choix de l'assaisonnement et le degré de salage et de séchage. Le *salame calabrese* est un saucisson extrêmement piquant et relevé contenant du piment, du vin rouge et du poivron rouge et séché à l'air : il bénéficie d'une appellation contrôlée. La nature du *salame alla casalinga* (fait maison) dépend de la personne qui le prépare. La *soppressa di salame*, très prisée en Italie, contient du porc et du bœuf. De texture grossière, séchée à l'air, elle est ficelée et prend ainsi sa forme ventrue traditionnelle. La *finocchiona*, une spécialité toscane, est un *salame* aromatisé avec des graines de fenouil. En Italie, plusieurs sortes de *salame* sont protégées par une appellation d'origine, dont le *salame fiorentino* et le *salame milanese*.

salsa agresto
Pâte composée de noix, d'amandes, de persil et de basilic. Elle ressemble au ***pesto*** mais contient également du **verjus**. On la sert en condiment pour accompagner des légumes et des viandes grillés.

seiche
Appartenant à la famille du calmar, ou encornet, la seiche est vendue entière sur tous les marchés italiens. Dans le reste de l'Europe, on la trouve le plus souvent nettoyée et présentée sous forme de tubes appelés blancs. Sa chair est tout aussi délicieuse braisée que grillée. Comme pour le calmar, le braisage est nettement plus long que la cuisson sur le gril : il faut du temps à la chair pour s'attendrir.

semifreddo
Littéralement, « semi-froid ». Dessert crémeux mis au congélateur jusqu'à ce qu'il soit partiellement glacé.

semolina (semoule)
Grains de blé moulus. La semoule fine est utilisée pour certains types de ***gnocchi*** et la semoule moyenne pour les entremets et les gâteaux. Quant à la semoule de blé dur, elle est également employée dans la fabrication des ***pasta*** industrielles.

sformato
Littéralement, « sans forme » ou « défiguré ». Dans la cuisine italienne, ce terme s'applique principalement à un entremets moulé.

stracciatella alla romana
Bouillon de volaille dans lequel on a incorporé de l'œuf battu et du ***parmigiano-reggiano*** et que l'on sert en soupe. Littéralement, *stracciatella* signifie « lambeaux ». Voir aussi ***zuppa pavese***.

'strattu
Concentré de tomates obtenu par séchage au soleil (pendant un certain nombre de jours) de tomates réduites en purée.

Strega
Digestif italien à base d'herbes et d'épices, vieilli pendant quelques années.

super tuscans voir DOC/DOCG

testa
Plaque en terre cuite sur laquelle on fait cuire la ***piadina***.

trattoria
Version meilleur marché du *ristorante*, dont la carte est cependant mieux fournie que celle d'une *pizzeria* ou d'une simple *osteria* (bar à vin).

truffe
En automne et en hiver, on trouve des truffes blanches (*tartufi bianchi*) dans les forêts de Toscane, du Piémont et d'Émilie-Romagne. Ce champignon souterrain, qui peut être aussi gros qu'une balle de tennis, n'est pas blanc mais légèrement marron et vit en symbiose avec certaines essences d'arbres. Toutefois, sa couleur est nettement plus claire que celle de la truffe noire, moins parfumée. La truffe blanche possède un arôme et une saveur terreux persistants et inoubliables. Sa rareté en fait une denrée extrêmement onéreuse. Elle se consomme surtout crue, de façon très simple, émincée en copeaux sur des ***pasta*** fraîches ou du ***risotto***, ou dans des œufs brouillés, par exemple. Il existe un couteau spécial pour émincer les truffes en très fins copeaux. Une truffe fraîche se conserve un ou deux jours dans un récipient contenant du riz ou de la ***polenta*** et plus longtemps dans un récipient contenant des œufs (jusqu'à une semaine, si vous parvenez à attendre aussi longtemps !) : elle transmet à ces denrées sa saveur unique. En France, on trouve des truffes noires dans certaines régions : celle du Périgord est la plus prisée. On trouve encore des truffes d'été, des truffes d'hiver et des truffes grises.

vin santo
Littéralement, « vin saint ». Cette spécialité de Toscane est un vin de dessert doux, de couleur ambrée, issu de raisins (surtout trebbiano et malvasia) cueillis à maturité puis mis à sécher pendant quatre mois sur des claies. Les raisins flétris (passerilles) sont ensuite pressés pour produire une petite quantité de jus qui est alors mis à vieillir sur ses lies (sédiment) dans de petits fûts de chêne (*caratelli*). Après quatre à six ans de vieillissement, il est assemblé et mis en bouteilles. Les fûts ne sont jamais nettoyés : on y verse le nouveau jus de *vin santo* et le processus recommence.

vino
Vin : *vino rosso* (rouge), *vino bianco* (blanc) et *vino rosato* (rosé). Voir aussi ***vin santo***.

vitello tonnato
Littéralement, « veau et thon ». Il s'agit d'une salade froide dans laquelle de fines tranches de veau poché sont enrobées d'une sauce composée de mayonnaise, de thon, d'**anchois** et de **câpres**. On décore traditionnellement ce plat d'anchois, d'olives, de câpres et de fines rondelles de citron.

zuccotto
Ce dessert, dont la forme serait inspirée du dôme de la cathédrale de Florence, se compose de crème fouettée ou de ***mascarpone*** aromatisés au chocolat, aux noix et au zeste confit placés dans un moule tapissé de gâteau imprégné de liqueur. Le *zuccotto* est démoulé avant d'être servi.

zuppa pavese
Il s'agit d'une soupe à base de bouillon de volaille, à laquelle on ajoute parfois du ***parmigiano-reggiano*** et un œuf entier que l'on poche dans le bouillon (dans ce cas, la soupe prend le nom de ***stracciatella alla romana***). Dans une version plus sophistiquée, on ajoute également des feuilles de laitue farcies de poulet.

Index

Copyright © 1998 Viking Penguin Books Australia Ltd
487 Maroondah Highway, PO Box 257
Ringwood, Victoria 3134, Australia

Copyright © Texte 1998 Maggie Beer et Stephanie Alexander
Copyright © Photographies 1998 Simon Griffiths

Tous droits réservés. Aucune partie de ce livre ne peut être reproduite
sous quelque forme ou par quelque moyen électronique ou mécanique que ce soit,
y compris des systèmes de stockage d'information ou de recherche documentaire,
sans l'autorisation écrite de l'éditeur.

Titre original : Tuscan Cookbook

Copyright © 2000 pour l'édition française
Könemann Verlagsgesellschaft mbH
Bonner Strasse 126, D-50968 Cologne

Traduction de l'anglais : Annick de Scriba
Réalisation : BOOKMAKER
Mise en pages : Jean-Claude Marguerite

Lecture : Roxanne Camporeale, Cologne
Fabrication : Ursula Schümer
Impression et reliure : Dürer Nyomda, Gyula
Imprimé en Hongrie

ISBN 3-8290-3670-1

10 9 8 7 6 5 4 3 2 1